監訳・著　沈剛
翻訳・編集　日髙崇

【呉公藻（ごこうそう）・馬岳梁（まがくりょう）版】

太極拳講義

たいきょくけんこうぎ

賛助●上海鑑泉太極拳社（2021年中国国家級非物質遺産認定）

文学通信

◉宗師呉鑑泉／呉家一門

馬江麟と沈剛［1987年］

呉鑑泉

馬江麟と推手［1987年］

馬岳梁

呉英華

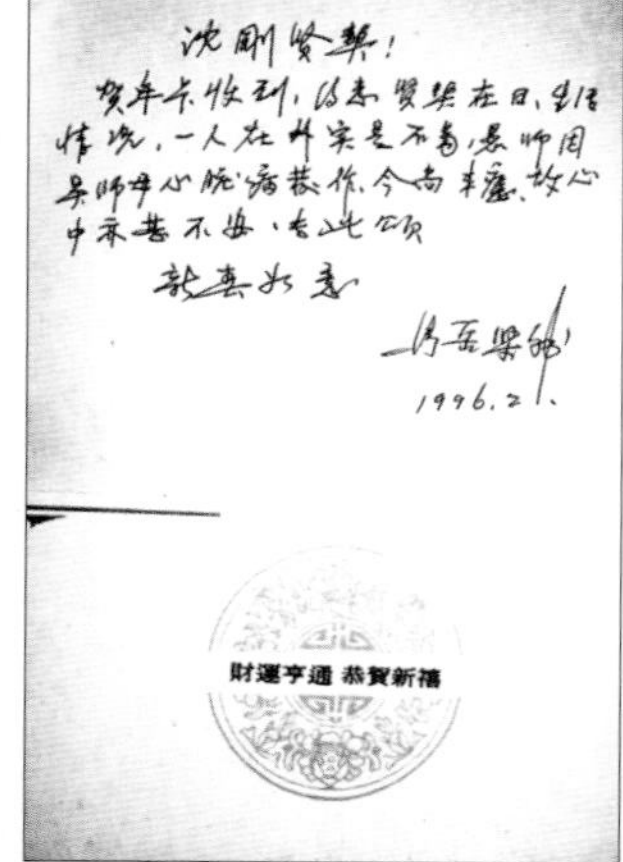

沈刚贤契！

贺年卡收到，得知贤契在日生活情况，一人在外实是不易，吴师因吴师母心脏病发作，今尚未愈，故心中亦甚不安，专此即颂

新春如意

马岳梁

1996.2.1.

財運亨通 恭賀新禧

馬岳梁からの年賀状［1996年］

馬岳梁と沈剛［1987年］

馬江麟と沈剛、鑑泉庁にて［2015年］

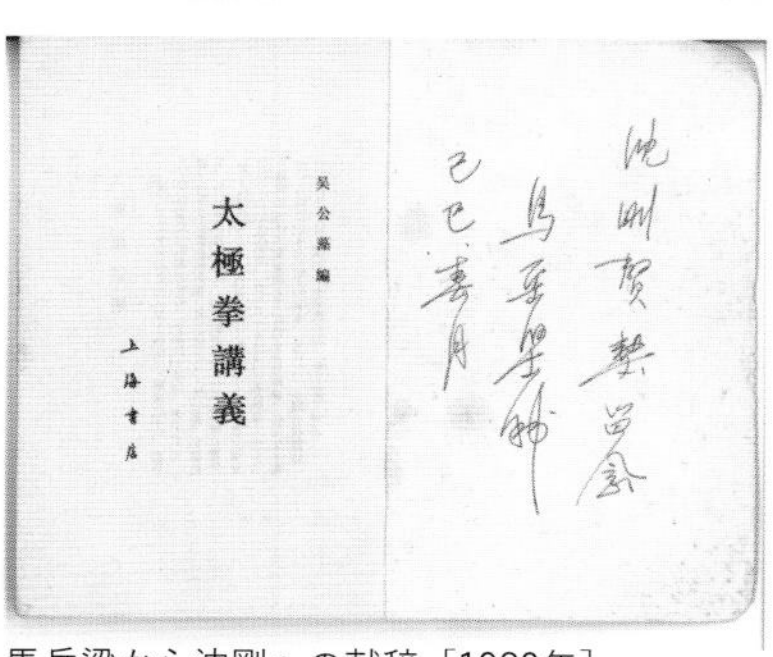

吴公藻編

太極拳講義

上海書店

沈剛賢契留念

馬岳梁

己巳春月

馬岳梁から沈剛への献辞［1989年］

馬江麟と周展方、沈剛［2015年］

呉鑑泉墓前にて［2015年］

呉式太極拳研究会（東京）に対しての授権［2017年］

●呉式太極拳研究会［東京］

●北海道中国武術倶楽部［江別市］

Hokkaido
Wushu
Team

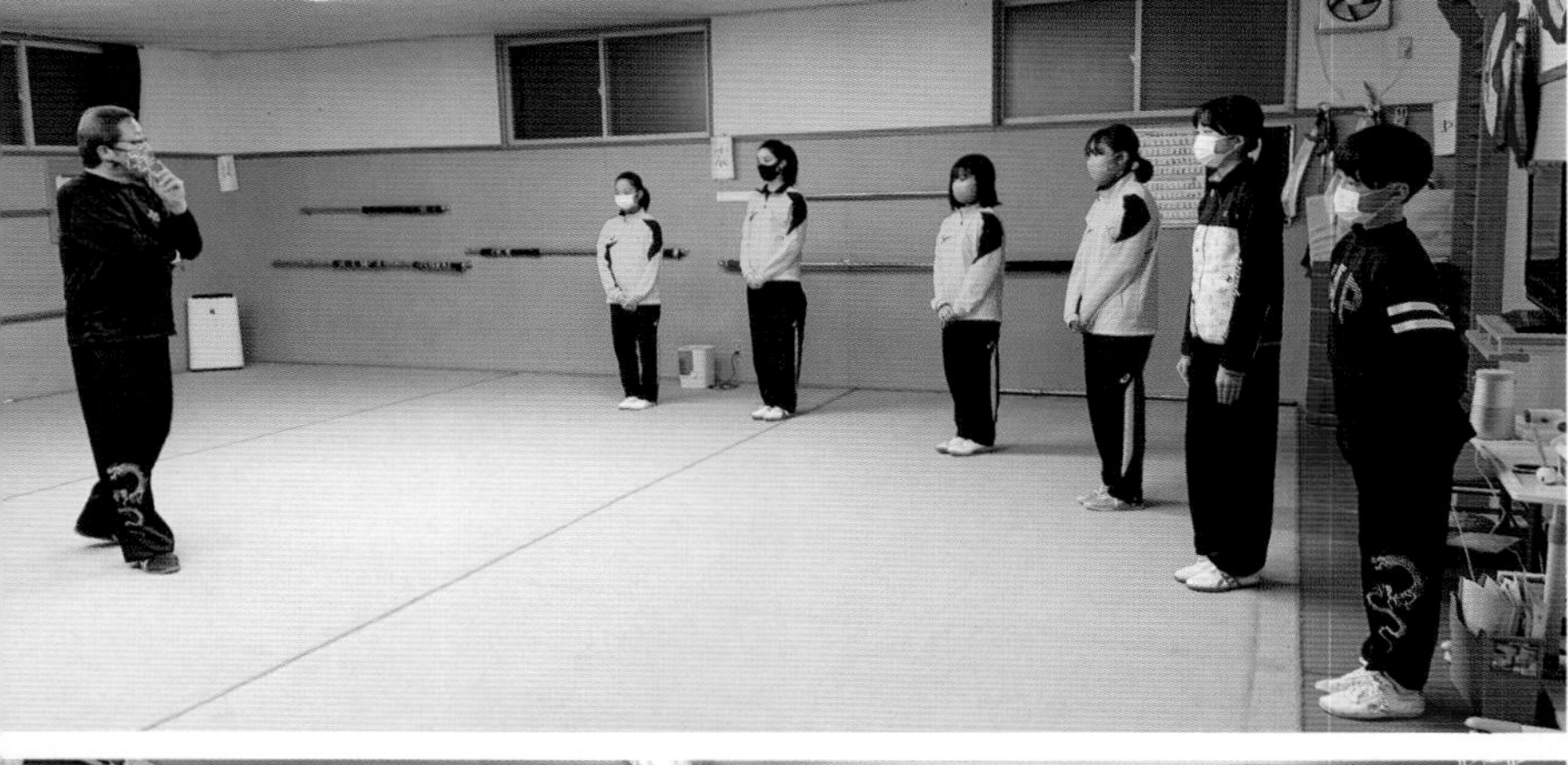

はじめに

「太極拳講義」には、一般に知られている限りにおいて、大きく分けて二つの版があります。ひとつは、呉公藻（ごこうそう）が父である宗師呉鑑泉（ごかんせん）より伝えられた内容をまとめたものです。これは、一九三六年に初版が刊行され、一九八〇年には香港において、門外不出の秘伝書であった「太極法説」の影印版と、呉鑑泉・呉公儀父子の套路（とうろ）（中国武術において、その流派にとって必須である動きをひとつながりにまとめたもの。多くの場合、一人で練習が可能）の分解写真を追加した形（いずれも当時の武術界の常識を覆す先進的な取り組みでした）で、「呉家太極拳」として再度刊行されます。上海では、一九八五年にこれをほぼ踏襲する形で上海書店より刊行されました。

初版刊行当時の中国は、急速な近代化にともなってさまざまな武術家が北京に集い、民間の伝統武術が「国術」として国の庇護のもとにまとめられ、学術的な調査・研究を経て活用・組織化されていく過程にありました。伝統武術の中でも比較的成立の新しい呉式太極拳においては、この本によって流派の独自性・太極拳の深遠さを知らしめる、という意味合いもあって、武術の修業がある程度進んだ人間を読者として想定しており、少々難解な内容の書物でした。さらに、中国に簡体字が普及する直前の刊行であり、いわゆる繁体字で記されていました。

このような状況を鑑みて、馬岳梁（まがくりょう）は当時の鑑泉社（128頁参照）の学生が理解しやすいよう、内容を編纂しなおしました。これが、もう一つの「馬岳梁編著版・太極拳講義」です。こちらは公式な刊行はなされなかったものの、馬海龍（まかいりゅう）らによる取りまとめを経て、活字に組まれたものが鑑泉社の内部で私家版として流通していました。近年、この「馬岳梁編著版」も、「呉式太極拳講義（呉公藻、馬岳梁著）」としてネットに流出しており、少し検索すれば見つけることができます（以降、本書で「太極拳講義」（または単に「講義」）という場合は、原則として、この「馬岳梁編著版」の方を指します）。

さらにもうひとつ、この「講義」には、現在ネットに流出している版のほかに、馬岳梁が草稿段階でいったんまとめたものが、非公式ながら存在しています。本書の監訳者である沈剛は、それをもとに馬岳梁より教えを受けていた時期があり、そういう意味では、この草稿こそが、沈剛にとっての、文字通りの「太極拳講義」であった、とも言えます。

本書は、あくまでも「馬岳梁編著版・太極拳講義」を底本としつつ、沈剛が馬岳梁から一時期預かっていた「講義」の草稿や、太極拳を教わる際に口頭で受けていた内容にもとづく言い回し、補足の説明などを念頭におきながら、「講義」をある程度補完しつつ翻訳したものです。

したがって本書は、呉公藻による、「(呉鑑泉の) 太極拳講義」を再解釈した馬岳梁本人に、長期間、直接の指導を受けた人物が注解を入れた上での翻訳という、ある意味非常に正統な継承がなされたものと言って良いでしょう。

これは、明末清初からの、比較的整理された資料が遺されている限りの太極拳の歴史において、単なる研究書に留まらず、極めて正統かつ文武に通じた人間によって、現在の言葉で書かれた、おそらく唯一の太極拳の解説書となります。このような書物が、中国語を母語とし、日本語に通じた人物によって訳され、現代の日本で入手できるということは、ほとんど奇跡といっても過言ではないでしょう。

さらに、本書の刊行にあたっては、沈剛が馬岳梁から受けた教えを「馬岳梁語録」として追補しました。語られている内容はまさに太極理論そのものですが、馬岳梁の親しみやすい人となりとともにお楽しみいただけるかと思います。

本書が、みなさまの太極拳修業の助けとなり、ゆくゆくはその内実を伝承していくよすがとなればまことに幸いです。

原著序文

呉公藻（1899–1983）は呉式太極拳宗師呉鑑泉の次男であり、馬岳梁（1901–1998）は呉鑑泉の婿、上海鑑泉太極拳社社長で、呉式太極拳の伝人です。この「太極拳講義」は一九三五年（原文ママ）に初版が発行されて以来、太極拳の要点を簡潔かつ詳細に解説していることから、武林の世界で脈々と読み継がれてきました。本書は一九八五年に出版された、香港・上海書局刊行の復刻版にもとづき、初学者にも分かりやすいよう、十五章に再編したものです。

吴公藻（1899–1983）为吴式太极拳鉴泉宗师之次子；马岳梁（1901–1998）为鉴泉宗师之长婿，上海鉴泉太极拳社社长，吴式太极拳传人。该讲义于一九三五年首次出版，因文字简要而于太极拳要义阐发详尽，久已遐迩武林。今据一九八五年香港上海书局再版材料分十五部分植入，以飨同好。

目次

コラム

太極拳講義

【呉公藻・馬岳梁版】

第一章　概論

太極拳がいつからはじまったのかは色々な説があります。

中国明代の「方伎伝」によると、以下のような記述があります。

- 洪武十七（1384。洪武年間は1368–1398）年、明朝の洪武帝が張三豊（丰）を招請したものの叶わず、同洪武二十五（1392）年に張三豊は今日の中国雲南へ隠遁してしまった
- 建文元（1399）年、当時の著名道学者で「完璞子」として知られている程瑤が、道士以外の一般人としてはおそらく、はじめて太極拳創始者の張三豊のもとに訪れ、大いに歓談した
- 永楽四（1406）年、皇帝の侍従であった胡広は、「張三豊は道学に深く通じ、その拳技は絶倫である」と報告していた

これらの説はかなり信憑性が高く、太極拳は少なくとも六百余年の歴史があると言って良いでしょう。

中国清代の同治年間（1862–1874）に、当家の一代宗師（初代）である全佑が楊露禅と楊班候の親子に太極拳を学びはじめました。のちに露禅の意向により班候に弟子入りし、今日に至る

まで百年余年、五代（訳注：本書刊行時点では八代）にわたって受け継がれています。

太極拳は哲学・芸術の側面を持つ一種の学問であり、たゆまぬ発展とともに代々受け継がれ、第二次大戦後の現代社会においても東南アジア、アメリカ、カナダ、欧州等にますます広がっている以上、そこにはそれなりの価値があると言えるでしょう。

太極拳の特長を挙げれば、以下のようになります。

一、盤架（ばんか）（套路を練習すること）を基本（身体づくり）とします。これは人間の骨や筋力を丈夫にし、気血を調和（全身の様々なエネルギーの循環が滞りなく巡ること）します。近代生理学と病理学にも合致しており、未病を防ぎ、発病した際もある程度の治療効果があります（すべての慢性的な病気について、直接、間接的な改善が見込めます）。病気を去らせ、人間の寿命を伸ばす、道家の説く「後天養生術（ようせいじゅつ）」の一種と言えます。

二、推手（すいしゅ）で人と手合いをします。これは太極拳基本理論の中の「動」と「静」の理論に準じ、人体の虚実変化の絶妙なパターンを利用しています。推手の原理は、一種の心理学と物理学のようなものであり、柔をもって剛を制し、剛がさらに柔を引き立てる技法を現実の戦いで体現することができます。

三、敵と手を合わせる時は、相手の脊髄反射的な動きの出入りに合わせ、受動的に連動して離れないことによって相手の「勢（外に現われている、後天的な動き）」を理解し、相手の力を借りて、相手を敗北に追い込みます。力で立ち向かうのではなく、「智恵」をもって勝ちを収める仕組みです。

四、太極拳は道家の人間養成法であり、武徳の修練に力を注ぎます。套路（とうろ）の動作には無理のない規範が設けられているので、それに沿って軽やかかつ円滑に動くべきです。そして、剛猛激烈な技で人を死に至らしめることは決してありません。いわゆる「仁」の思想です。

五、太極拳は気を養うことと内勁（ないけい）を蓄えることを大切にしています。柔の中に剛を有し、感情が内面に収まることを勧めています。身体の力みや硬直を徐々に無くすことで、結果的に意が丹田に集まっていきます。練習すればするほどに体の精度が上がり、動きの密度がますます高くなるにつれ、内外の動きが一致するようになり、恐れるものの無い境地に至ります。太極拳は内勁を意図的に動かすものではありません。そのような試みは内勁を詰まらせるだけです。力も使わないように勧めています。人間は力を使うと動きに断点（内的・外的両面における動きの停滞）が生じるからです。また、太極拳は外形に拘りません。目に見える形に拘泥すれば、武術の限界が生じます（ただし、初心者は太極拳を沢山練習すべきです。コンパスと定規の使い方を知らなければ、正確に四角や円を描くことはできないのと同じで、正しい動作から基本が出来上がります。形の見えるものから徐々に形の見えないものへと進み、最上級のものに至ります）。

練習のときは、綿のように柔らかく、力を巧みに使うことに重点をおくべきです。身体の動いている部分においては滞っているところがなく、身体の止まっている部分においては、余計な動きがないようにします。「動」と「静」は相互に変化し続けるので、動きの中には静けさがあり、静けさの中に動きがあるべきです。この変化が滞れば、素早い対応は不可能です。太極拳は老若男女を問わず練習でき、上達が可能です。太極拳の動作を行なう際には、その人の自然状態に逆らわず、相手の動きにもなるべく応じるようにすれば、太極拳を学ぶことはけっして難しいものではありません。真面目に粘り強く稽古を続ければ、その恩恵は計り知れないものでありましょう。

太极拳创于何时？众说纷纭。据明史《方伎传》所载「洪武（1368–1398）十七年太祖

诏求三丰不赴。二十五年乃隧入云南。建文元年完璞子访三丰于武当，适从平越归来，相得甚欢。永乐四年侍读士胡广奏曰：三丰深通道法，拳技绝伦。……」此说大致可信，是则太极拳传于世已六百年。清同治（1862–1974）年间吴家太极拳第一代宗师全佑受业于杨露蝉杨班侯父子，受露蝉之命拜于班侯门下，于今已传世五世，亦百有余年。

一种学术能流传于久远而不替，且世世代代发扬光大，战后更发展至南洋，美加等地，定有其必传之价值，兹综其要而言之：

一，以盘架为体，在强健筋骨，调和气血，合乎现代生理学与病理学之理，能防疾病于未发，亦能疗之于已发，祛病延年，为后天养生之术：

二，以推手为用，循太极动静之理为法，采虚实变化之妙为用，合乎心理学和力学之理，以柔克刚，以刚济柔，可以得技击实用之效：

三，应敌时随屈就伸黏连不脱，能因人之势，借人之力而致敌于败，非力敌，而系智取：

四，太极拳为道家之行功，注意武德修养，每一姿势无不中正安适，每一动作无不轻灵圆活，决无刚猛激烈致敌于死地之意，此为仁：

五，以养气蓄劲，柔中有刚，精神内敛，意存丹田，则愈练愈精，愈练愈微，由微入妙，由妙入神，而至形神合一，达到大勇无畏境界。

太极拳一不用气，用气则滞；二不用力，用力则断；三不用法，有法则尽（唯初学者则不能无法，须知先有规矩後成方圆；先有法而後无法，则臻最高境界）。

而系以棉、柔、巧为行功要旨。其动也，则全身无不动；其静也，则全身无不静，动中寓静，静中寓动，动静互变，无笨重迟滞之弊。男女老幼皆可习练，动作纯任自然，物来顺应，学之毫无困难，苟能精勤研究，历久不懈，获益非浅。

コラム

馬岳梁語録①「後天之努気、先天之干枯」

「後天之努気」は、人間が頭で考える自由意志に任せることは、ものごとに対する気持ちが激しすぎる状態に至ってしまう、ということを意味します。ただひたすらに強い気持ちを持ち続けることは、一見良い事のように見えますが、無理して体を鍛え、人に対してもむきになってぶつかっていくような鍛錬では、体のパーツ同士が邪魔しあうことによって力の伝達もままなりません。太極勁の修得どころか、怪我や故障に悩まされることになるでしょう。

「先天之干枯」はその逆です。人間が生来持っている、生物としての避けられない欠陥をそのままに放置すれば、二十代の後半から筋や腱が硬くなり、関節の動きにも様々な不具合が出てくるでしょう（ちなみに、人間という生物が「種」としてベストからは程遠い、様々な欠陥を抱えた存在であるということは、今日の生物学においてはごく一般的な常識となっています）。

太極拳を練習する際は、ただ心の静けさを求めることです。無理な訓練はただ自身の状態を太極勁から遠ざかるだけです。

ちなみに、孫式太極拳においても、この「努気」は同様に戒められており、禄堂（ろくどう）公の著書「拳意術真」では太極拳の基本理論における「避三害」とされ、努気はその中の一つである、と、孫剣雲と練習したときに何度か聞いたことがあります。

馬岳梁語録② 三十一本目の骨

馬岳梁師公は、太極拳の歴史で初めて、西洋医学の専門知識を持つ医者の立場で太極を分析していました。それによれば、手指等の末端を除いて、だいたい十本程度の主要な骨が動かせれば、最低限、普通の生活ができると見積っていました。他の医療専門家も大体同意見のはずです。しかし、数十年間の太極修練を経た先代の実感としては、「自分は今、およそ三十本の骨が同時に動いている」とのことでした。言い方を変えれば、これは人間の骨格の有り様から生まれる「虚実」の「虚」の箇所がかなり増えた、ということです。

さらに、その状態で手に武器を持てば、それは三十一本目の骨のように動く、と申していました。武器は体の延長のごとく使う、と簡単に言う人もいますが、念じたところで武器と手は関節のような関係にはなりません。両者の間には軟骨や関節包もなく、肩や股関節のような球体の動きを作る滑らかな凹凸もなければ、しなやかな腱で引っ張ることもできません。力一杯握れば手の内には虚実もなにもなく、極端に弱く握れば、振ったり突いたりしているうちに手から滑り落ちてしまうでしょう。太極の武器套路は人間と武器の間にも弱いポイント、つまり「虚」を挟んで動けるのが理想です。もちろん、すでに体全体が骨の「実」と関節や結合部分の「虚」の調和で成り立って動けていることが大前提です。内面の「虚」があってはじめて、武器と人体の接点がそれに連動し、結果としての「虚」となるのです。

師公が、とある太極門の高名な伝人と話をしている際、師公が持っていた杖を差し出したところ、相手はそれを握るなり吹っ飛ばされてしまったのを見たことがあります。自分の手であれば、それなりに高度な太極勁を身につけていれば、似たようなことをできる人は稀にいますが、棒を介して行うことは今の私にはまだまだ不可能です。

第二章　太極原理

孔子（551–479 BCE）は易経を非常に重視しており、「十翼」と言われる注釈を著したとされています。その中の「繋辞上伝」において、「易の中に太極があり、太極が両儀を生み、両儀から四象、四象から八卦が生じる」という学説を整理・確立したと言われています。また、中国宋朝の周敦頤において確立された「太極図説」は道の基本であり、その説明は以下のようなものです。「宇宙は無極から太極へ向かい、我々の心が静かで何にも考えず、身体の素晴らしいものが未だ現われていない状態である「無極」に対し、心は静かですが、昭然たる崇高な思想に生きていることが「太極」になります。」

太極は、宇宙が誕生した当初の状態であります。形も音もなく、音も気配もないですが、今日のすべての出来事と物事はすべて太極から発展してきました。太極拳論にはこうあります。「太極者、無極而生。動静之機，陰陽之母也。動之則分，静之即合」。つまり、太極は動と静に過ぎず、陰陽は太極に過ぎません。

世界は、静まりの極みで動き出し、動の極みで静かになります。だから、太極は永遠に「開合」状態にあります。天地万物のすべてはいつも行き来しており、常に変化の中にあります。これが太極です。

拳法としての太極は、その原理である動と静、陰陽、開合に由来しています。基本訓練の中では、動中の静と静中の動を求めることを大切にしています。太極拳の動作は虚実の研究でもあります。虚実は陰陽です。学ぶ方は陰陽動静の原理を知っていればはじめて、徐々に進歩することが見込めます。

孔子（551–479B.C.）赞易，始言易有太极，是生两仪，两仪生四象，四象生八卦。宋周敦颐撰《太极图》推道体之本原曰：无极而太极，如吾心寂然无思，万善未发，是无极也。然此心未发，自有昭然不昧之本体，是太极也。

太极乃宇宙生化之原，虽是无形无象，无声无色，然一切形象，声色皆有太极生化而出。是以拳经曰：「太极者，无极而生。动静之机，阴阳之母也。动之则分，静之则合」。由此可知太极者，动静而已：阴阳者，太极而已。

在静极而动，动极而静之中，太极永处变动开合之状态。举凡天地万物，一往一来，无时不刻尽在变动之中，此即太极之微旨。

在拳而言太极者，因其原理由太极之动静，阴阳，开合之变化而来。其基本在动中求静，静中求动。而其动作则主要研究虚实，虚实即是阴阳。是以学者首先应知阴阳动静之理，然後循序渐进。

第三章　陰陽動静

陰陽は、天地の道であり、万物の綱紀（規律）、変化の根本、生と死の原点です。すべての対立的な立場にある物事は、陰陽です。

太極拳で言えば、動は陽、静は陰です。剛は陽、柔は陰。攻めは陽、守りは陰。進みは陽、退きは陰。実は陽、虚は陰。両者は対等であり、そこからの変化を互いに利用します。

太極拳や推手の運用では、動であれ静であれ、必ず「中定（ちゅうてい）」（方寸を乱さず、上半身と下半身の統一した緩みによる体の一体感）に近づけるようにしましょう。そうでなければ、推手の際に力みすぎ、あるいは相手から離れすぎになります。「力みすぎ」とは、距離、勢い、力いずれにおいても自分自身の能力を超えていることを意味します。「離れすぎ」というのは、動きの不足です。自身の能力を発揮していないことです。

易の理論で言えば、陽が盛んであれば陰が消え、陰が盛んであれば陽が消えて行き、火が盛んであれば水を制し、水が盛んであれば火を制します。この循環は止むことがありません。武術の原理で言えば、力や気力のすべてを極限まで持っていけば、陰陽のバランスが崩れ、中定の維持は困難です。これが、陰陽相互補完の原理です。
太極拳の練習は、陰陽は因果応報である、という点と、物事が発展して頂点に達すると必ず反対の方向に転じる、という点を大切にし、自分自身の能力への過信は損を招き、謙る気持ちであれば必ず人体の良い状態へ繋がる、ということを理解しましょう。陰陽が互いに補い合うことを理解することにより中庸を得ることができ、体の動きの規範を守れば、太極拳は自然に上達します。

阴阳者，天地之道。为万物之纲纪，变化之父母，生杀之本始。凡一切立于对等地位之事物，皆曰阴阳。

以太极拳而言，动者为阳，静者为阴；刚者为阳，柔者为阴；攻者为阳，守者为阴；进者为阳，退者为阴；实者为阳，虚者为阴。此乃双方立于对等地位而运用其变化者也。

运用变化中，无论在动在静，必须保持中定，否则即有过或不及。过者，过其量也，在势、在力、在劲均超过其本能之谓。不及者，不足也，不足则本能无从发挥。

在易理而言，阳盛则阴消，阴盛则阳消。火盛制水，水盛制火，彼此循环不息。在拳理而言，盛是将过其体力与气力合用之极，一过限谓之偏盛、失中，此乃阳极阴生，阴极阳生之理。

练习太极拳必须注意阴阳消长与物极必反之理：尤须知道满招损谦受益之道，悟阴阳互妙而达中和之本，则规矩方圆得其要矣。

第四章　入門基礎

太極拳では「盤架為体、推手為用」と言う基本があります（「盤架」とは、太極拳の基本拳法を練習することです）。太極拳の初心者は、動作の正確さと、無理に作った動きではない、すべての関節の動きがひとつの大きな動きであるかのような状態を両立させ、できるだけ動きが軽やかかつ円滑な状態を心がけて練習することが望ましいです。初心者の八大要点は以下の通りです。

㈠中…脳と体の内面いずれにおいても偏りの無い落ち着きがあり、意識が清らかで内気が穏やかになれば、体の重さが自然と足にかかります。体全体の重心は腰椎に定まり、意識が内面に収斂していれば、太極拳論で述べられている「静けさ」、落ち着いた「中定」に近づくことができます。

㈡正…すべての動作において、なるべく在るべき形を守り、骨格の不自然な状態を避けましょう。太極拳の中では、上体が立っている状態、前傾する状態、体の伸び縮みといった、沢山の姿勢がありますが、いかなる状態においても、重心をどちらの足に置くかをはっきりさせるべきです。はっきりした重心のみが「開合（かいごう）」の敏捷さと自由を生み出し、前進後退の乱れもなくなります。重心をはっきりさせなければ、「開合」も正鵠を失い、虚実がはっきりしなくなります。

㈢安（あん）…泰然（たいぜん）という意味です。道理に合っていないことを、自分の中だけで無理矢理つじつまを合わせるような意識を持ってはいけません。自然状態の中で清適（せいてき）を保ち、均等な動作、穏やかな呼吸、気持ち（神）も内面的な状態（気）も落ち着いていれば、内勁も詰まることがありません。

㈣舒（じょ）…暢達（ちょうたつ）（のびのびしていること）という意味です。各姿勢の展開動作を大きくしましょう。これは全身の関節の自然な暢達であり、無理して関節を力で伸ばすことではありません。何年もかけて自然に緩んでゆくものです。これにより身体が「放鬆（ほうしょう）」し、かつ落ち着いた内面状態を得ます。

㈤軽（けい）…軽やかという意味ですが、体や気持ちが浮ついていることとは違います。軽やかで緩やかな動作であれば、太極拳のすべての手合いの出入りは自由自在となります。練習を続ければ、体の放鬆と気持ちの落ち着きが生まれ、粘（ツァン）と黏（ニィエン）が自然に得られます。

故に、「軽」は太極拳練習の重要なポイントであり、入門の道のひとつなのです。
(六)霊(れい)（灵）…穎敏(えいびん)という意味です。軽やかさによって、体の重さが自然に各の関節にかかり、そこから粘黏、粘黏から連随、連随から穎敏に徐々に到達するものです。ここまで来たら初めて「不丟頂(ふちゅうちょう)」が体現できるようになります。
(七)円(えん)…凹凸が無く、全てが満ちているという意味です。すべての動きにおいて、なるべく円満で欠けた所を無くせば、デコボコとした「断点(だんてん)（急激な方向転換・加速・減速を伴う動き）」が徐々になくなり、体の動きが渾然一体となります。推手では「円」でなければ「霊」が得られません。常に「円」であれば体全体がひとつの動きとなります。
(八)活(かつ)…全身の統一された緩みの度合いを得て、軽やかで鈍重や滞りがないという意味です。前述の七点を全面的に理解すれば、手合いの出入りや、関節の結合部分の開合、上下前後の体の使い方、いずれにおいても自由自在になります。

太极拳以盘架为体，推手为用。初学盘架时，姿势务求中正安适：动作必须轻灵圆活。
兹将八大要点列述如下：

㈠中：心气中和，神清气沉，立点在脚。重心紧于腰脊，精神含敛于内，乃能中定沉静。

㈡正：每一姿势，务求端正，最忌偏斜。虽或俯或仰，或伸或曲姿势繁多，其重心必须稳定。重心稳定则开合灵活自如，进退有序；重心不立则开合失其关键，虚实不清。

㈢安：安然之意，切忌牵强。由自然之中，得其安适，动作均匀，呼吸和平，神气镇静乃无气滞之病。

㈣舒：舒展之意。姿势动作务求开展，使全身关节节节舒展，然非用力伸张，而系自然徐徐松展，自能得到松活沉著之趣。

㈤轻：轻灵之意，然忌漂浮。动作轻灵缓和，往来自由自在，久之能生松沉之劲，进而生粘黏之劲，故轻字是练拳下手之处，入门之径也。

㈥灵：灵敏之谓。由轻灵而松沉，由松沉而粘黏，能粘黏即能连随，能连随而後能灵敏，则可悟及不丢顶。

㈦圆：圆满之意。每一动作务求圆满而无缺陷，则能浑成一气而免凹凸断续之病，推手用劲，非圆不灵，处处能圆则活矣。

㈧活：灵活而无笨重迟滞之意。上述各节融会贯通後，则屈伸开合，进退俯仰皆能自由。

コラム

馬岳梁語録③「無所不在、無所不有」

本来この言葉は、中国の宗教学で神の現存が遍在することを表現する際に使う言葉ですが、先代は宗教的な意味合いではなく、単に身体の状態を説明する言葉として用いていました。たとえば人を押した時に、縦方向には一定のパワーを出せますが、横方向には必ず弱い部分が現れます。また、一部で誤解されているように、両腕に力を込めた状態で無理に作った「掤勁（ほうけい）もどき」では、腰や骨盤あたりが相対的に弱くなります。いわば、気沈丹田（きちんたんでん）になっていないのです。

人間の体の特徴として、力を込めた状態で身体のある一部だけを無理に動かそうとしても、他の部分は素直についてきてくれません。一つの動きは必ず体の他の部分の不調和で邪魔されます。力んだ状態でその箇所を強く引き伸ばす動きをすると肉離れが起きやすいのもこれが原因です。

理論上は、全身すべてに力を込めることができればこの不調和は解消されますが、もし体全体を、本当に文字通り鉄のように固め、あらゆる方向からの攻撃に対応できたとしたら、その人間の命は大体終わりです。老子道徳経にあるように「堅強者死之徒、柔弱者生之徒（堅強なる者は死の徒にして、柔弱なる者は生の徒なり）」です。玩具のお人形は、指で突つけば簡単に倒れてしまいます。もし全身が彫像のようであれば、しっかりと地面に固定されていない限り、我々もお人形のようにいとも簡単に倒されてしまいますね。

よって、太極拳においては体のどこにも力を込めないようにすべきです。しかし、力を抜く訓練は簡単ではありません。そして、一日でも中断すると体はすぐに硬くなります。

「無所不在、無所不有」は、身体のいかなる部分も適切に、均等に緩んでいるべきだという教えです。先代の二人が毎日のように朝の五時に起きて太極拳を練習していたのも、この認識があったからです。

第五章　身法要義

人体は三つの部分と九つの節で構成されています。三つの部分は脊椎、両腕、両脚です。脊椎に属する物…一、頭頂部。二、胸と背中。三、腰とお腹です。この三つの節は人体の主幹を構成します。

両腕に属する物…一、両手。二、両肘。三、両肩です。この三つの節は人体の上肢です。

両脚に属する物…一、両骨盤。二、両膝。三、両足。この三つの節は人体の下肢です。

「身法（しんぽう）」では、人体を上中下の「三盤」に分けて考えます。胸と、背中より上の部分は上盤、腹部と腰と骨盤は中盤、膝以下は下盤になります。

三盤全てにおける内勁を、一人の人間が完全に習得するのは非常に困難です。人間は身長と体重の違いもあれば、筋力の差もあります。背の低い者は一般的に背の高い者の中盤と下盤を取りますが、逆に身長に恵まれた者は背の低い者の上盤を取るようになります。背の低い者は動き易いですが、背の高い者は守り易いです。力ある者は攻撃に出ますが、力が足りない者は守りに徹します。太極拳の初心者（若くて一定の身体能力を有していることが前提となりますが）

には低姿勢での太極拳練習を勧めます。また、なるべく動作を大きくして、進退の間の「虚」と「実」の転換に注意すべきです。もちろん、進むのも退くのもゆっくり行うべきです。こうすれば、筋肉は強くなり、腱もしなやかで柔軟になり、経絡が活発になります。関節の曲げ伸ばしの持久力も増し、続けると関節が弾力に満ちてきます。これこそが「柔の中に剛が在る」の体現です。

腰と骨盤は全身の中枢であり、武術の身法の主要たる部分になります。「進退顧眄（歩法において、前進・後退・左右の回転）」において、常に「立身中正」が必要です。太極門で語られている「立身中正」とは、腰椎が、骨盤を動かさない状態で軸がぶれずに回転し、然るべきタイミングで正しく前傾できていることを意味します。これにより四肢が乱れることなく、内勁が末端まで行き渡ります。太極拳には、単双擺蓮、分脚、蹬脚、金鶏独立、下勢、進歩摟膝、退歩倒攆猴など、足を使う動きが沢山あります。足を使う時はなるべく腰と骨盤が力まずに沈み、上下が自然に安定している状態の中で行うべきです。起脚は両骨盤と両膝が「開胯」という形で回転しながら上がっていくべきです。ただし、軸足の側の骨盤が軸足に対して回転してしまうと、中定を失ないます。ですので、含胸、抜背、鬆肩、垂肘、裹裆（提肛のこと）、護臂（摟膝した掌が、骨盤のすぐ横に来ること）、鬆胯及び尾閭中正を守るべきです。

太極拳の身法は上から下になります。したがって、上盤における内勁が最も重要です。すべての動きは円形であり、その運用は途切れることはありません。腰椎を起点とする中心軸、四肢の末端が描く円弧、腕・脚が描く平面、すなわち「点・線・面」それぞれに独特な回転方法があります。中心軸の回転角度と末端までの半径による面積は状況によって異なりますが、常にその軌跡は歪みの無い真円となります。腰椎による回転の角度と、腕・脚を伸ばしたことによる半径の長さは、自身の体にとって無理のない範囲に収まるようにします。

人体は三つの部分と九つの節があり、身法も上・中・下の三盤がありますが、それぞれがうまく連携し、意念で全身の気を邪魔せず（以意行気）、内気が全身を貫き、関節と関節が連動すれば、自由自在に体が動くようになります。

人身可分三部九节，三部即脊椎，两臂与两腿。

属于脊椎者：一头顶，二胸背，三腰腹，此三节为人体之主干。

属于两臂者：一两手，二两肘，三两肩，此三节为人体之上肢。

属于两腿者：一两胯，二两膝，三两足，此三节为人体之下肢。

身法分上中下三盘。胸背以上为上盘，腰胯为中盘，膝腿以下为下盘。

三盘功夫非每人能兼而有之，因人体之长短，体力大小而不同。所以矮者多取高者之中下盘，高者专打矮者之中上盘。身小灵活者善走，身高体重者善守。力大者多攻势，力小者多守势。

初学盘架应走低势，动作开展，进退之间注意虚实转换，缓步而进，缓步而退。如此则肌肉日渐坚实，筋络增强力量，关节曲伸持久，日久自能产生弹力，此种弹力即柔中寓刚之力。

腰胯为全身之枢纽，为武功身法主要部分，进退顾盼之时，必须立身中正，四末自然就序。太极拳用腿之时甚多，如单双摆莲，分脚，蹬脚，金鸡独立，胯下势，进步搂膝，退步倒撵猴等等皆是。而用腿之时必须腰胯松沉，上下四平八稳，以两膝两胯旋转之法而出之，所以要涵胸，拔背，松肩，垂肘，裹裆，护臀，松胯及尾闾中正。

太极拳身法是由上而下，所以上盘功夫最为重要。每一动作全是圆形，运用连续不断。点有点之转法，线有线之转法，面有面之转法。轴心与车轮之面积虽有大小，而圆周一定是三百六时度，转法分寸全靠自己掌握。

人体虽有三部九节，身法亦分上中下三盘，然应用之时则须完整一气，以意行气，以气运身，节节贯穿，自能得心应手。

コラム

馬岳梁語録④「還可以往下」

これは、私の内勁（気）のレベルが中級者くらいの段階まで来たときの話です。内勁は、体が緩んだ状態で動くことで、十四経絡を通じて動かせる段階があります。その後に、内勁が骨の中を通る、いわゆる「収斂入骨」のレベルがあります。骨格の動きやすさにはムラがあり、上半身すなわち脊椎や肋骨、胸骨が動くのが先で、この動きはやがて丹田を通って、下半身すなわち骨盤、足首の関節に至ります。これが、「まだまだ、もっと下へ行けるはずだよ」という、師公の言葉の意味です。

この言葉は、まだ十代半ばの私が師公の子供たちと一緒に練習していた際のものです。師公が我々のお腹に手を軽くやるとたちまち全身が重くなって、体の重心がなくなったような感覚にとらわれました。当時は、私たちの誰も理解できなかったのですが、今になってようやく理解したと思います。師公は、自分の内勁をもって我々自身の体に内勁が充満し、足元に到達する状態を擬似的に感じさせる、という、かなり高度な喂勁を行なっていたのです。当時は、師公が私達の体を下に押し込んでもいないのに、なぜ「まだ下に行ける」のかは全く理解できませんでした。

太極の内勁は、体のどこか一部に集めるようなものではなく、体全体に満ちていくものです。この状態で、体全体でリアルタイムに相手の気配を常に把握していくのです。

体が内勁で満ちることは決して簡単ではありません。私達の体には動きづらい関節や、そもそもほとんど可動域が存在しない結合部があって、最初のうちは内勁も当然通れません。内勁が体に満ちるようになるのは体のすべての関門を開く、すなわち全身の虚実が実現した状態であります。初期の段階では、気を丹田に集めるのではなく、まず、気が丹田をどうにか通ることが大切です。

体中で満ちる内勁が溢れるほどの上級者になってはじめて、徐々に内勁が丹田に溜められるようになります。これが、いわゆる「内丹術」と呼ばれるものの入り口です。内丹を完成するには、一生涯かかってしまうこともあります。いかなる意念でもこの状態にはなりませんので、正しい指導のないまま安易に行なわないよう、くれぐれもご注意ください。

一九八〇年代前半、世間では有名な気功師が一千キロ先に気を送って患者の治療を行ったことが話題となり、政府高官までがこのような超能力を信じていた頃に、師公はこの気功師に以下のような質問をしました。「気功の大先生の気は曲がるのでしょうか。一千キロ先ならば、（地球の曲面に沿うように）気が曲がらないと相手に到達しないではないですか」。これは新聞社のインタビューに答える形での公開質問だったので、私と同世代であれば、知っている人も多いはずです。後に、件の気功師はすぐに自分の能力を証明すべく、地球の裏である米国に気を送り、送り先の相手が気を感じとったと主張していたそうです。

師公自身の内勁で、我々の体に気が満ちることを体験させていただいてから四十年近く経ちました。今日、私はようやく、自身の体に内勁が一定程度充満している感覚を得ています。もちろん、まだ師公ほどの重厚な感覚ではありません。

気とは本来このように時間をかけて少しずつ生じるものです。この気を、自身の体の外へ放出することはどれほどに困難かは、自身の体に気が満ちている感覚を知っている人ではないとなかなか理解できないものですね。

研究会での教え● 骨半寸の緩み――気を動かすために

そもそも「太極」とはなんでしょうか。気を動かすのが太極です。正しい練習を続けていれば、いずれ気を動かすことが出来るようになります。

人間の身体の中には、気というものがあって、その気は普段、私たちの身体自体に圧迫されていて、「気がほとんど動けない状態」、「気を動かすことが出来ない状態」にあります。

では、どうすれば「気」が動くのでしょうか？ その答えは、「腹腔が常圧」になることです。具体的に申しますと、例えば、落語や漫才や面白い話を聞いて、または面白いテレビ番組や映画などを観ていて大笑いした後、お腹に力が入っていない状態。または、きれいな芝生や床の上に、いい気持ちで大の字に寝っ転がった時のお腹の状態です。

この、「腹腔が常圧」の状態で慢架(まんか)を行いますと、身体の中の気が徐々に解放されはじめますが、身体全体の気を完全に解放（復活）させるには、しばらく（五年から十年）の間、慢架の練習を毎日のように続ける必要があります。

丹田について

丹田は、骨盤の左右の一番高い二点を結んだ直線上の真ん中にあります。身体の表面にあるのではなく、身体の中にあります。この、丹田というところは、最も気が通りにくいところです。気が常に丹田を通っていれば、全身の気は初めて活きてきます。

では、どうすれば丹田に気を通すことが出来るのでしょうか?

それは、「骨半寸」に力を入れないことです。「骨」とは恥骨、「半寸」とは一寸の半分、約1.5cmを意味します。すなわち、「骨半寸」の位置は、恥骨上端のわずかに上あたりを指します。

骨半寸に力を入れないと、人間の腹腔は「常圧」になります。別の言い方をいたしますと、骨半寸に力が入っていなければ、お腹は「常圧」になっています。

「常圧」のまま慢架を練習しますと、お腹のあたりに気が溜まるのを感じるようになります。感じ方は個人によって違いますが、「腹腔に重さを感じる」、「腹腔の底が重い」、「お腹全体が重い」、「お腹(下腹)にガムテープが貼られているような感じがする」といった感覚が生じます。

この状態で慢架を練習し、年数を重ねますと、全身の気の動きを感じるようになります。その時、自身の気が、初めてハッキリと、丹田を通っていく感覚がわかるようになります。

伸ばすべきところを伸ばす

「骨半寸」は「丹田気」のカギですが、「気」は、丹田だけではなく、身体のいたるところの筋肉と筋肉の間に潜んでいます。その「気」を、自然に動かすには、筋肉を徐々に柔らかくするしかありません。

では、全身のすべての筋肉を柔らかくするために何をするべきでしょうか?

もっとも重要な注意点は「骨半寸に力を入れない」ことですが、それに加えて、首が曲がって下を向かないように注意し、手の指は自然に伸ばすようにいたしましょう。骨半寸の緩みに気を取られると、手指や首が曲がってしまいがちです。ひとたびそうなると気の通りがますます阻害される、という悪循環が起きてしまいます。

そもそも、初心者は、全身の色々なところが硬いはずです。よって、伸ばすべきところは、伸ばしていかなければなりません。

掌は「常に」伸ばしていてください。五指は出来る限り伸ばしていてください。親指は他の四指と共に出来る限りひとつの平面上にあるようにしてください。

次に、肘と肩も、無理に力まず、出来る範囲で、なるべく伸ばしてください。これを心がけると、結果的に、背中・胸・腰もある程度自然に伸びるようになります。

背中・胸・腰、この三箇所を自ら伸ばすことは、初心者にはなかなか困難です。背中・胸・腰の伸びは、掌・手首・肘・肩の伸びにかかっているのです。

ところで、下半身はどうかと申しますと、実は上半身以上に硬いのです。

人間の下半身（脚）の伸びは、筋肉や各関節が、自然な状態で体重を受けることによって、徐々に形成されていきます。

以上を守り、慢架を続ければ、徐々に気が動き出し、やがて気は丹田を通るようになるでしょう。

腹腔に圧がかかっていない状態が、身体が気の受け皿状態となるための第一歩です。

第六章　推手法則

太極推手は、双方に実力や体格の差があっても対等な立場となり、交互に攻めと守りを行う練習方法です（推手を練習することを「盤手」と言います）。第一義的な意味での目的は相手に勝つことですが、その本質は敵対的な闘争ではなく、仲間内での、互いの技術研究であり、手法・身法・脚法などの理論と実践を結びつけるための訓練法です。また、推手練習は前進、後退、左顧、右眄、中定の練習でもあり、外面の一昇一降、内面の一沈一浮、そして外面の一屈一伸、内面の一開一合すべてにおいて、勁路を真円の動きに近付けていく功夫練習でもあります。

推手は主動と従動の違いがあります。主動は「問」であり、従動は「答」。合わせて、問答です。相手より問いかけがあれば、こちらは「聴勁」を利かせてから回答します。主動の者は各種の方法で攻め、従動の者は色々な方法で化勁を用いて重心を保ちます。いわゆる、一攻一守、一問一答であります。時折、守る者も攻めへ転じ、「答」から「問」を行ないます。全身の緩みの度合いから来る「意」で探り、十三勢などの勁で「問」をしてその「答」を誘い出し、相手の虚と実を把握します。「問」に「答」が返って来なければ、そのまま攻め入ります。「答」があれば、聴勁を生かしてその動きの緩急及びその方向性を把握します。こうしてはじめて相手の「虚」と「実」を捉えることができるようになります。

通常、互いの攻守の際、平面における進退には波のように浮き沈みがあり、立体的な昇降は螺旋の回転に似ています。また、纏頭式や裹頭式のような上方への回転と、摟膝式や穿手靠のような下方への回転は、弾力のある柔らかさを保った伸縮を各関節で分散して行ないます。推手の円の動きには、横円と縦円、そして平円の三種類あります。横円は上下の旋回、縦円は前後の旋回、平円は左右の旋回になります。さらに、これらを組み合わせた旋回法を同時に用いれば、全身が一つの「九曲球」の内部のように複雑精緻に張りめぐらされた一本の通路を持った球体となり、相手からすると、あたかも針一本も入らず、水も染み込めないほどの密度となって感じられます。

太極拳は陰陽を探求し、「対待（矛盾した関係性）」を解釈し、動と静を論じるものです。陰陽とは何か、対待と動静がいかなるものかは、沢山の推手練習の中で体得するしかありません。双方が向き合って手を合わせたところで、何も動作がない状態が「静態」です。当然、これでは陰陽は分かれていません。片方が動く寸前で「将展未展」になった状態を指して、太極拳では「動機」と云います。静態は太極に先立ってそれを暗示するものであり、ひとたび微動すればすぐに陰陽が分かれます。何もないところから物事が生まれます。すなわち、互いが対待することによって、一つの体に陰陽の気が生じ、さらに四象から八卦へと色々な変化が次々現れるのです。動くことは陽であり、静止は陰であります。陽は攻め、陰は守りです。陽は進んで盛んになり、陰は退き衰えます。陽に体の変化をもたらせば「開」になり、陰に体の変化をもたらせば「合」になります。進退による出入り、顧眄による旋回もすべて推手練習の中にあります。

太極推手は不動歩と進退歩の二種類があります。また、大捋歩法や九宮歩法など多くの活歩推手が残されています。不動歩推手は、古くは「四正」と呼ばれ、進退歩推手は「四隅」と呼ばれていました。大捋歩法はまた「八門五歩」と呼ばれていました。「八門」はそれぞれ四つの縦横の方角と斜め方角、「五歩」は三歩進んでから二歩下がることから来ています。九宮歩法の動きは、中国の子供が書道の練習の際に使う、「九宮格」を思い浮かべると分かりやすいでしょう。進退四歩で、交互に中央の「戊己土」のところを踏むように動きます。太極拳の歩法はいずれも五行、八卦、九宮を基本に、川字歩、丁字歩、八字歩、弓腿、坐腿、騎馬勢（ばせい）といった中国武術の基本歩法すべてが含まれています。

　太极推手是甲乙双方处于对等地位，进行互攻互守，目的虽在战胜对方，然非敌我斗争，而是同门之间互作技术研究，冀理论实践相结合，用以锻炼手法，身法与腿法。也即是锻炼前进，後退，左顾，右盼，中定：一升一降，一沉一浮，一屈一伸，一开一合与劲走圆圈之功夫。

　推手有主动与被动之分。主动谓之「问」，被动谓之「答」。彼有所问，我必「听」而后「答」，主动采取各种方法进攻，被动者亦采取各种方法以系重心，一攻一守，一问一答，时而反守为攻，反答为问。以意探之，以劲问之，矣其答复，再听虚实，若问而不答，则可进而击之，若有所答，则须听其动静之缓急及进退之方向，始能辨其虚实。

　互作攻守之时，平面进退状如波浪，有起有伏：立体升降则如螺旋转动，旋上旋下作弹性伸缩：圆圈方位分横圈，纵圈与平圈三种，横圈是上下旋转，纵圈是前後旋转，平圈是左右旋转，再加一种比旋转，用之于周身，就如一颗九曲球，令对方感到针插不进，水泼不入。

　太极拳讲究阴阳，说对待，论动静。何谓阴阳、对待与动静？则由推手实践中体会得来。当双方对立而未有任何动作是谓静态，阴阳未分。挨一方拟有所动而在将展未展之际，谓之动机。静态象征太极，一动则阴阳已分。由无而有，互相对待，一理二气，四象八卦种种变化随之而生。动者为阳，静者为阴∴阳主攻，阴主守∴阳以进为长，阴以退为消∴阳以变为开，阴以化为合。进退伸缩，盼顾旋转尽在变化之中矣。

太极推手有不动步推手，进退步推手。大捋步步法于九宫步步法等多种。不动步推手谓之四正，进退步推手谓之四隅，大捋步步法又名八门五步。八门者，四正方四斜方，五步者，上三步退两步。九宫步步法所走方位与儿童学习书法之九宫格同，甲乙双方各进退四步，二人互踏中央戊己土。太极拳步法均按五行、八卦、九宫步法变化，其他如川字步，丁字步，八字步，弓腿，坐腿，骑马势全在其中。

コラム

馬岳梁語録⑤「干嘛啊、别乱来」

直訳すれば、「何やってるの、滅茶苦茶するなよ」となります。私は当時、現在の師父である馬江麟（まこうりん）や、馬岳梁師公の他の子供や孫たちと一緒に練習していました。何時間も練習していると、つい負けたくない気持ちが先に立ち、互いに力で勝負してしまうこともよくありましたが、先代の二人は、下手な草相撲のような押し合いへし合いの推手を見つけると、決まってこの言葉で我々をたしなめたものです。

そもそも推手とは「押す手＝手で押し合うこと」ではありません。相手の「気息（きそく）」が自身に伝わる一方、自身の「気息」が相手に伝わっていない状態を体得するために、時間をかけて互いを推し量りあう太極拳の訓練方法です。本当の上級者は、自身よりレベルが低い後輩を技術やパワーでねじ伏せるのではなく、ちょっとした動きの断点や隙をより上級の太極勁で捉えて、ギリギリのところで活かすことによって勁の感覚を与える、いわゆる「喂勁（なけい）」を繰り返してお互いが成長していくのです。

ところで、昨今、世界各地で行なわれている格闘技としての定歩・活歩での推手試合（競技推手）は、それはそれで一種の立派な格闘技といえます。地域によってルールが異なることもあり、まだまだ世界的な競技種目にはなり得ていませんが、下半身への攻撃、活歩においては足かけや担ぎ投げは禁止されることが多く、力や勢いにまかせた同体を厳しく審判されるルールの下で、相手を倒すのははっきり言って簡単ではありません。私は最大限に敬意を表しています。世界トップレベルの競技推手選手は、上海鑑泉社のほとんどの弟子よりも強いでしょう。一方、今日の鑑泉社の会員で競技推手を懸命に練習している者もおり、なかなかの強さです。

本来、どのような訓練をするのかはそれぞれの自由です。私は、いかなる訓練法でも、懸命に練習すればいずれも強くなれると確信しています。ただ、今日のようなスピードと効率を重視する社会の中において、太極拳の核心である静かな精神性を、じっくり腰を据えて追い求めるのは、どの国の国民、どの団体においても難しいです。鑑泉社の昨今の表演を見ていると、伝統太極拳のはずなのに制定太極拳（健康増進を目的として、中国国家体育委員会によって第二次大戦以降に編纂・規定された套路。二十四式太極拳をはじめ、複数の套路が存在する）のような表演をしたり、推手の練習で競技推手にも劣るような力いっぱいの推手をしている者も少なくありません。

話がやや脇道に逸れました。元来、呉式太極拳は伝統太極拳の中では比較的自由な気風があり、どんな練習も自由でしたが、太極門のかつての掌門である師公は、師公の子供や、家族同然の付き合いがあった私に対しては、力いっぱいぶつかり合う推手練習を禁止していました。太極門における力を使わない訓練法はかなりの部分が秘伝である上に、師からの修正を受けつつ正確に長期間練習しなければ決して習得できるものではありません。太極門の内で家伝を受けた者ですら、高いレベルの太極勁に辿り着ける者はごく僅かです。古伝の訓練法も知らずに、適当に流派を立ち上げて「秘伝」を喧伝する輩が後を絶ちませんが、はっきり言ってただの詐欺です。

冒頭の師公の言葉に戻りますが、滅茶苦茶やるなよ、という言葉の意味はとどのつまり、太極勁の習得は少しでも無理をしてはならない、ということに尽きます。先代の言葉は極めてシンプルではありますが、果たして十全に理解できたのかどうか、私ももっと時間をかけて考え続けるべきだと思っています。

第七章　致学十要

㈠中定…全ての関節の伸び縮みや、開合といった太極の状態を何も見せないことを「中」と言い、頭の中が空っぽで、気持ちと体が落ち着いていれば「定」と言います。脳が清らかな状態で、「気を操る」というような意念をかけたりせず、首筋が自然に伸び、体のすべてが脳と自然な状態で繋がっており、オーバーに力まずに内面と外面のひずみを無くせば、体内では中定の内勁が自然に形成されます。これこそ道家理論の基本です。「中」をキープするには、相手に利用されず、相手に誘惑されないことです。「定」を実現するには、「過」（やりすぎ）と「不及」（足りない）を無くすことしかありません。内外の動きの「開合」と進退顧眄のすべてが互いに「中定」を求めるべきです。中定は、脚を支えに内勁で重心を保ち、これによって外的な動きを連動します。いわば、「得其環中、以応無窮（荘子「内篇・齊物論篇」における「道樞（どうすう）」のたとえからの引用。蝶番の軸の部分である樞（とぼそ）は、それを受ける環にぴったりとはまって始めて自在に開閉できる）」です。中定は勁の使い方の一つではありますが、実は全体の要的な存在です。

㈡虚領頂勁（きょりょうちょうけい）…中国が封建社会であった時代、科挙制度の下で猛勉強に打ち込む学生が居眠りしないために自分の三つ編みにした髪を天井の梁に固定したという「頂頭懸（ちょうとうけん）」のことです。首筋に力を込めず、頭の天辺は垂直を保ち、人間の中心である丹田は、お腹回りの緩みによって気が通過する状態をつくれば、全身の内面の繋がりはしっかりと脳に到達して、中国の玩具の「不倒翁（起き上がり小法師）」のように上部が軽くて下部が重く、水の中の浮標のように沈むことがありません。歌訣にあるように、「神清気沉任自然、漂漂蕩蕩浪里攢。任你風浪来推打、上軽下沉不倒顛（太極を練習する人間は、意識清らかに気が沈みすべて自然に任せ、あるときは浮き、あるときは沈んで波をやり過ごす。どんな風や波に押され、打たれても、自身をそれに任せ、上が軽く下が重ければ倒れることはない）」です。

㈢感覚…体が何かを感じれば、それは必ず脳に伝わり、無理に「感じ取ろう」などと考えなくとも受動的に応じます。「感」が「応」を、「応」が「感」を引き出す相互の循環によって、人間の感覚は徐々に細やかになっていきます。推手は互いに勁を問いかけ、正しい勁の動かし方を探ります。これはすなわち、感覚と反応を鍛えていきます。敏感度が上がれば、無限の変化が見込めます。

㈣聴勁…心の耳を澄まして雑音に惑わされない、受動的な脳の状態で「聴」を行ないます。気の通路を経由して相手の状態が脳に伝われば、脳にパターン化された動き（内勁）が掌に現われます。これは、日常動作における脳脊髄神経系による随意的な動きとは全く異なります。この勁が相手の状態とマッチした瞬間、脳から末端までの「意」が成立します。このような「意」であれば、全身の気を連動することもできて、さらにその全身の気は身体全体を連動することになります。このように、「聴」ができれば、それと同時に発勁することができます。聴勁が正確かつ鋭敏であれば、相手の進退に合わせてこちらはもっと自由に進退できます。

㈤量敵…孫子の兵法に曰く「知己知彼，百戦百勝（己を知り彼を知れば百戦百勝である）」。今も昔も、軍事行動を起こす際は、まず自軍の兵力、次に敵の兵力を把握してから勝敗を計るのが大原則です。これに比べればはるかに小規模ですが、武術も原理は同じです。自身の短所を相手の長所にぶつけるのは愚策であり、まず勝てません。逆に、自身の長所を相手の短所にぶつけるのがうまいやり方であり、作戦も成功するでしょう。太極拳の「量敵」は、まず気の通路によって相手の勁がいかなるものか、問いかけるべきです。具体的には、相手の動静、勁の方向と重心の位置がどのようであるかを把握します。互いの攻防が始まる前は、落ち着いて相手の動きを待つべきです。先入観で自ら動き出すのではなく、落ち着いて相手の焦りを待ちましょう。太極拳論で述べられている「彼未動、我不動、彼微動、我先動（相手が動かないうちはこちらも動かず、相手の僅かな動きが起きたときにはすでに相手の動きの間に入っている）」は正にこれです。そうすれば、互いが動き始めた瞬間、すぐに気の通路によって相手の虚実を知り、対応できるはずです。

㈥知機…推手の功夫には三つの段階があります。最初は「不知不覚」、次に「後知後覚」、最終的に「先知先覚」になります。相手の陰陽が分からなければ、動きもはっきりせず、姿勢の方向性はもちろん、虚実も知ることはできません。この朦朧とした感覚の中で何かの兆しを感じれば、これは上級者のみが知ることができる「機」が分かり始めた段階と言えます。この「知機」がさらに深まっていくと、相手の動きを自分の注文通りに作ってしまいます。これが「造勢」であり、兵法三十六計の「無中生有（むちゅうしょうゆう）」です。太極拳の上級者は相手が見せる僅かな「機」を感じて動きますが、初心者は丁度、正反対のことをします。太極拳の上級者は脳も内面状態も落ち着きがあり、立ち現れてくる外的な動きも美しく、突進するような激しい攻撃にも逆らわず、それに従うように受け、すべての状況にごく自然に対応します。初心者は進む方向も滅茶苦茶で、退く時のコツも分からず、攻めもできなければ守りも知りません。これは、「知機」できるか、そうではないかの違いです。

(七)双重(そうじゅう)…虚実がない状態を双重と言います。太極拳の双重という「病(間違い)」は、両手から来るもの(「化」が出来ていない)と、両脚から来るもの(「打」が出来ていない)があります。太極拳論曰く「偏沉(ちん)則随、双重則滞(重心が生きている立ち方であれば相手に従うことができ、死んでいる重心は体全体が滞ります)」。また曰く、「毎見数年純功、不能運化者、率皆自為人制，双重之病未悟耳(数年練習していても、「打」も「化」も出来ず、すぐに人にコントロールされてしまうのは、双重の病をまだ悟っていないからです)」。このように、古くから、双重という問題こそが一番自覚し難く、本当の意味で虚実を理解することなくしてこれを回避することは困難です。双重から離れられれば、聴勁、感覚、虚実、問答のすべてが繋がり、徹底的に理解できるはずです。推手の時に相手が押し込み、こちらが力で抵抗して、互いに動かなくなれば、「滞」と言います。すなわち、双方の双重です。逆に、相手が来る勢いに従い、力で抵抗せずに相手の攻めの方向に沿って誘導し前進させれば、相手は必ず間合いに入ってきます。これが「偏沉」の効果です。たとえば、両手で相手の上盤を「按」で攻めようとしても、相手の力が強くて攻めきれないのであれば、虚実を用いたやり方で攻めるべきです。具体的には、両手で相手の肩に触れた状態から、左手は相手の右肩を下方向へ「捋(り)」しつつ、右手で相手の左肩を攻めれば、自身の両手が交差し十字勢になります。その瞬間、同じ方向に回転する一つの円形の発勁が完成し、相手は斜めになって倒れるでしょう。これが「偏沉」による発勁の一例です。

㈧捨己従人(しゃきじゅうじん)…先入観を捨てて、相手の恣意的な動きに囚われずに、その双重を攻めきることです。相手の動きに従って太極勁を形成し、「合（第六章「推手法則」参照）」、すなわち虚実の度合いがある程度統一できれば、いかなる攻めにも対応でき、どんな状態からであっても、主導権を取ることができます。このような状態であれば、「㈥知機」で説明したように「機」も「勢」も自在に作り出せますし、やがては常に「機」と「勢」とともに体が動けるようになります。体の全ての箇所が相手の出入りに従えば、不利な状態に追い込まれることは決してないでしょう。

㈨鼓蕩(ことう)…気が自然に丹田を通り、内気を落ち着かせ、腰を緩ませ、お腹に余計な意念をかけず、含胸、抜背、鬆(しょう)肩、垂肘を心がければすべての関節は虚となります。動でもあり静でもあり、虚でもあり実でもあり、開でもあり合でもあり、剛でもあり柔でもある、これらすべてが混合した勁路が、いわゆる鼓盪です。日常生活での、「頭で考えて、指令を出して体を動かす」といった脳の使い方とは異なるやり方で「意」が形成され、その「意」に従って「気（ここでは内勁）」が動き、この内勁で全身が動けば鼓蕩の勁になります。鼓蕩では、意と内勁が、従来の体の動かし方とは異なる制御システムとして体の隅々まで行き渡っている状態なので、瞬時に陰陽の変化が行われます。その様はまるで荒れ狂う暴風雨や大波のようなもので、その激しさはとても文章では表現しきれません。一般的には、同門の上級者が初心者を、鼓盪で喂勁（なけい）して指導します。我々の指導は腰と脚での弾性抵抗の感覚に始まります。長い間の訓練を経て、各部の敏感な感覚が増していけば鼓蕩ができるようになります。長く続ければ、この感覚が活かされ、実際の手合いの中では、相手の防御姿勢を崩し、相手の重心を誘導して揺さぶり浮かし、相手がしっかり立てない状態を作り出すことでフットワークを撹乱し、相手を精神的に追い込みます。太極拳の最上級の套路に「采浪花（さいらんか）」がありますが、これはすべて、鼓蕩の勁を使います。相手は圧倒され、まるで航海の最中、嵐に遭い大波に翻弄されるかのように体が傾斜し、上下に揺さぶられ、酷い目眩で平衡感覚を失ない、自身の重心が分からなくなります。これも鼓蕩の作用です。

(十)重心…太極勁において力学的なバランスを研究するということは、まず、すべての姿勢や動きの安定性を研究し、その重心を見つけることです。まっすぐ直立していても、傾いて立っていても、いずれ重心が存在します。推手の原理を理解するということは、様々な動きの中における力の均衡を研究することです。体を固め、しっかり立とうとすれば重心が高くなり、かといって無理に低く構えて重心を低くしようとすると内勁の動きが妨げられます。安定した、無理のない体の動作ならば、はじめて重心が上下しないようになります。また、体のバランスが安定しているときが、最も重心が低くなることに注意すべきです。

(一)中定：伸屈与开合之未发谓之中，寂然不动谓之定。心气清和，精神贯顶，不偏不倚，是为中定之气，道之本也。何以守中？无过不及。何以能定？不为起使，不为利诱。伸屈开合，进退顾盼，互争者中也。中者，以脚为立点，以势为重心，以动作为枢机，故曰得其环中，以应无穷，此虽技之一端，实为全体之纲领。

(二)虚领顶劲：顶劲即顶头悬。头顶正直，腹内松净，气沉丹田，精神贯顶，如不倒翁上轻下沉，又如水中浮标漂浮不没。歌曰：神清气沉任自然，漂漂荡荡浪里攒：任你风浪来推打，上轻下沉不倒颠。

㈢感觉：身有所感，心有所觉。有感必有应，所应复为感，感应互生，人于精微。推手互相问劲、找劲，即是锻炼感觉与反应，感觉灵敏，变化无穷。

㈣听劲：听者权也，即权衡轻重，推手时侦察敌情谓之听，听之于心，凝之于耳，行之于气，运之于掌，以心行意，以意运气，以气运身，听而后发。听劲要准确灵敏，随其伸就其屈，乃能进退自如。

㈤量敌：兵法曰「知己知彼，百战百胜」。整军行旅之初，当先审己而量敌，以计胜负也。拳虽小道，其理亦然，以己之短当人之长，谓之失策：以己之长当人之短，谓之得计。量敌应问劲，问其动静，听其来劲方向与重心所在。彼此未进入攻守之时，应以静待动，以逸待劳，不存主见。彼未动，我不动，彼微动，我先动。当彼此相互承变之间，即知其虚实而应付之。

㈥知机：推手分三个功夫阶段，由不知不觉而后知后觉，由后知后觉而先知先觉。当阴阳未分，动静未明，姿势未成，虚实未知。似有征兆时谓之机，此唯高手能知之。能知机则能造势，所谓无中生有，乘机而动，低手则反之。高手心气沉静，姿态雍容，逆来顺受，运用自如，低手则进无门，退无路，攻之不可，守之乏术，此即知机与不知机之分。

(七)双重：无虚实谓之双重。双重之病有双手与双脚之分。拳经曰：「偏沉则随，双重则滞」。又曰：「有数年纯功而不能运化者，率为人制，双重之病未悟耳」。是故双重之病最难自知自觉，非知虚实之理，不易避免，能解此病则听劲。感觉。虚实。问答皆融会贯通。推手时若对方用力推我，而我用力抗之，相持不下谓之滞，此即双方之双重。若彼此各顺来势，不以力抗而顺其来劲之方向引之前进，使其落空，此即偏沉所致。若以双手按对方之上盘，而对方力气极大，攻之不可，则采用虚实之法，以双手抚其肩，左手由彼之右肩下捋，右手击其左肩，此时我双手作交叉十字势，同主一方，而发劲成一圆圈，则彼必侧斜而倒地，此即发劲偏沉所致也。

(八)舍己从人：舍弃自己主见，依从对方动作，随其所适，因而取之，顺而成之，合而解之，由被动转为主动。主动能造机造势，而後得机得势，处处随曲就伸，则无往而不利。

(九)鼓荡：气沉，腰松，腹净，含胸，拔背，松肩，垂肘，节节舒展，动之静之，虚之实之，开之合之，刚之柔之，此种混合之劲谓之鼓荡。以心行意，以意运气，以气运身，鼓荡之劲乃生。由于心气贯穿，阴阳变化顷刻而来，犹如狂风暴雨，惊涛骇浪。在同门之中运用鼓荡劲，多是高手指导低手，使对方腰腿生长弹性抵抗力，增强感觉敏锐，久之则感应灵活。在应敌之时则用来摧毁对方之守势，牵引对方之重心，使其立点不稳，扰乱对方步骤，疲劳对方精神。太极拳最高境界尚有名曰采浪花者，全以鼓荡之劲震撼对方，使其如航海遇风，出入波浪之中，眩晕无主，倾斜颠簸，自身重心难以捉摸，即是鼓荡之作用。

(十)重心：研究太极拳劲之平衡作用，即是研究各种姿势与动态之稳定而求其重心。无论站立或俯仰，各有其重心存在，推手原理即在各种动态中研究力之平衡关系。如稳定则重心升高，如为不稳定则重心降低，如为中立则不升不降。更应知稳定平衡之时，重心必须在最低处。

コラム

馬岳梁語録⑥　目に見える動きから「気息」のような動きへ――「十三勢」と「固有分明」

太極拳でまず求められることは、腰椎の動きが妨げられることなく自然に十本の手指と両方の踵に伝わるよう、長い時間をかけて身体を変えていくことです。この地道な訓練によって、腰椎から末端までのあらゆるパーツの硬直は、少しずつ取り除かれていきます。両腕に力を込めるとか、勢いよく脚を蹴り出したり、体が倒れる勢いで踏み込んだりといった動きは、腰椎の動きが末端へ伝わっていく流れを邪魔するだけなので、我々は絶対にこのような動きをしません。この、自然に動きが伝わる身体の状態が、俗に言う「十三勢」です。

さらに、腰椎が物理的に動いていなくても、その存在というか、気配のようなもの（中国語で謂うところの「気息」）が、自然と常に末端に伝わるようになります。この状態でようやく、気が最も通りにくい丹田にも気が充実するようになり、そこからの内勁が労宮（ろうきゅう）と湧泉（ゆうせん）に伝わるようになります。これがいわゆる「固有分明」です。

この二つの状態を、もう少し説明してみましょう。

「十三勢」の状態…人間としての外形的な動きは確認出来ますが、なぜ、その動きで攻撃ができるのか、また、なぜその攻撃を防げないのか、相手が伺い知ることは困難です。これは、「無力打有力」や「慢打快」、「以意行気」の領域であります。呉式太極拳では「採浪花（さいろうか）」がこれに属します。

「固有分明」の状態…人間としての動きはもはや確認出来ず、動いていないのに攻撃が出来るようになります。これは、私も四十余年の訓練でも未だ安定して遣える状態にはないので、偉そうに語るわけにはいきませんが、先代の言い伝えでは、「宋遠橋手三陽経打法」「陰陽乾坤手」などの「神明之手」になります。

「十三勢」や「固有分明」には近道がまったくありません。鑑泉が、自身の子供や一部の門人に最初の三年間に太極慢架を一万回行なうことを要求していたのは、これが理由です。太極拳は形だけを覚えれば習得に至ったという考えは間違っています。太極の修行に終着点は無く、自身の体の状態を変えてゆくプロセスあるのみです。

馬岳梁語録⑦「氫気球」

「氫気球」とは、水素で膨らませた風船のことです（現在は危険なのでヘリウムを使うのが一般的ですが）。水素は空気よりも密度が低いので、普通に空気で膨らませた風船と違って、自力で空中に浮くことができます。もし人間の体に水素が満ちていたら、当然のように軽く動けます。自身の重さで膝や足関節に余分な圧力がかかりませんから、「目に見える動きから「気息」のような動きへ」で解説したように、腰椎のごく微細な動きを無理なく踵に伝えるこ

郵便はがき

料金受取人払郵便

王子局
承認

7004

差出有効期間
2023年06月
15日まで

114-8790

東京都北区東十条1-18-1
東十条ビル1-101

文学通信 行

■注文書 ●お近くに書店がない場合にご利用下さい。送料実費にてお送りします。

書名 冊数

書名 冊数

書名 冊数

お名前

ご住所 〒

お電話

読者はがき

これからの本作りのために、ご意見・ご感想をお聞かせ下さい。

この本の書名

お寄せ頂いたご意見・ご感想は、小社のホームページや営業広告で利用させて頂く場合がございます（お名前は伏せます）。ご了承ください。

本書を何でお知りになりましたか

文学通信の新刊案内を定期的に案内してもよろしいですか

はい・いいえ

●上に「はい」とお答え頂いた方のみご記入ください。

お名前

ご住所 〒

お電話

メール

とも容易でしょう。

当然、人間の体に水素が充満することは有り得ません。人体は風船よりも複雑な構造をしていますし、本来四つ足で歩行すべき動物であったのに、二足歩行という負荷をかけながら、無理して自分自身の体を使っています。これが道家思想が考えていた「先天」の状態です。

「先天」は、我々が本能に任せて動く、（悪い意味で）「あたりまえ」の体の使い方です。太極拳は、「先天」状態を徐々に変え、もっと理想的な体の状態（これがいわゆる「後天」です）を維持するプロセスであります。本能とは異なった動きを身につけるのに、月に一、二回程度の練習ではほとんど意味がありません。ましてや、套路の動き方だけを覚えて「これで太極を習得した」などという考えは有り得ません。

以下の動画は、この「氢気球」をイメージして動いたものです。この動画を公開したところ、スペイン語圏で太極拳を学んでいると思しき方から「ところどころスロー再生になっているように見えます」とのコメントがありました。

もちろん、再生速度の加工などは一切していません。身体にかかる重力を理解し、身体を極限まで均等に緩めた後天の動きによって、まるで時間の尺度がコントロールされているような錯覚を覚えたのでしょう。とはいえ、この速度で一時間も練習すれば、私もどこかで動きが途切れて、止まってしまいます。「氫気球」は本当に難しいです。

動画URL→https://www.facebook.com/HECTORHORACIOTORRES/posts/2150942248284266

先天の顕れ●「含胸抜背（がんきょうばっぱい）」とは

太極拳の要訣としてしばしば言及される「含胸抜背」ですが、これが具体的に何を指しているのか、そして、これを体現できるとしたらどのように身体が変化するのか、西洋医学の見地からの解明を試みました。以下のX線写真とコメントは、呉式太極拳六代弟子であり、放射線医でもある山本仁氏の立ち会いの下で検証されたものです。本来の含胸抜背はもとより結果論であり、意図的にその形を作り出すようなものではありませんが、今回は検証のため、「含胸抜背状態」を沈剛先生に作ってもらいました。また、医学的な見地からは、胸郭の形状変化は、基本的に呼吸によって引き起こされる、という見解が一般的であることから、「普通

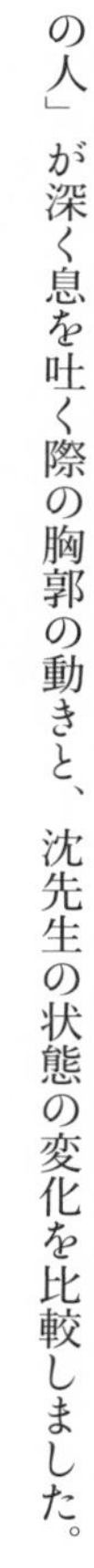

の人」が深く息を吐く際の胸郭の動きと、沈先生の状態の変化を比較しました。

●「普通の人」のX線写真側面像

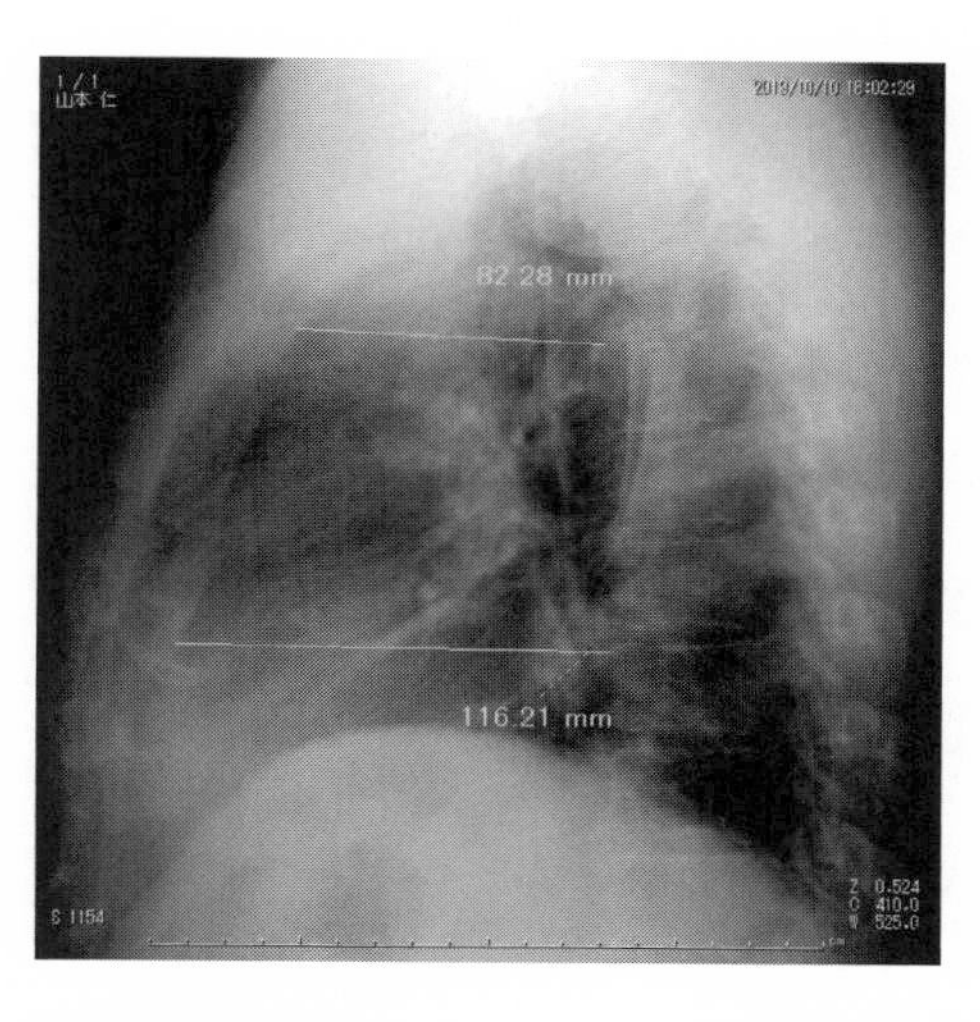

平常呼気時

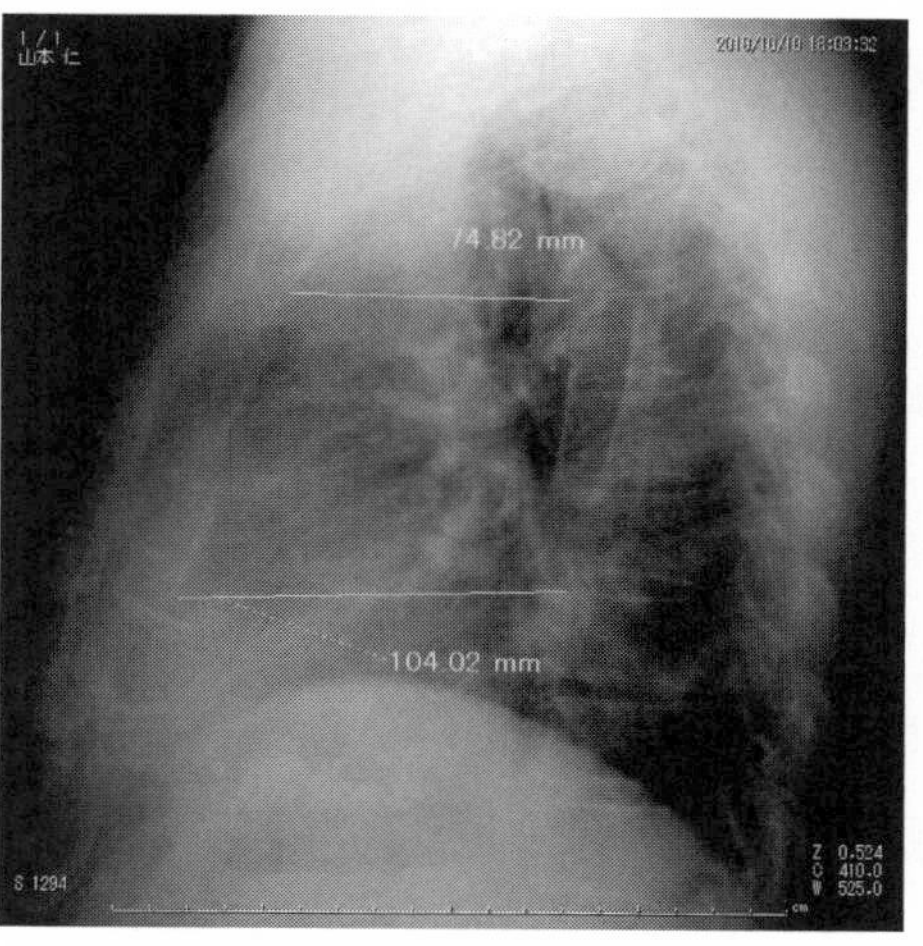

最大呼気時

●沈剛先生のX線写真側面像

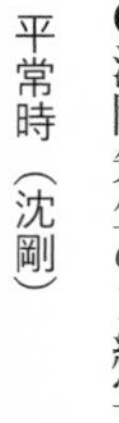

平常時（沈剛）

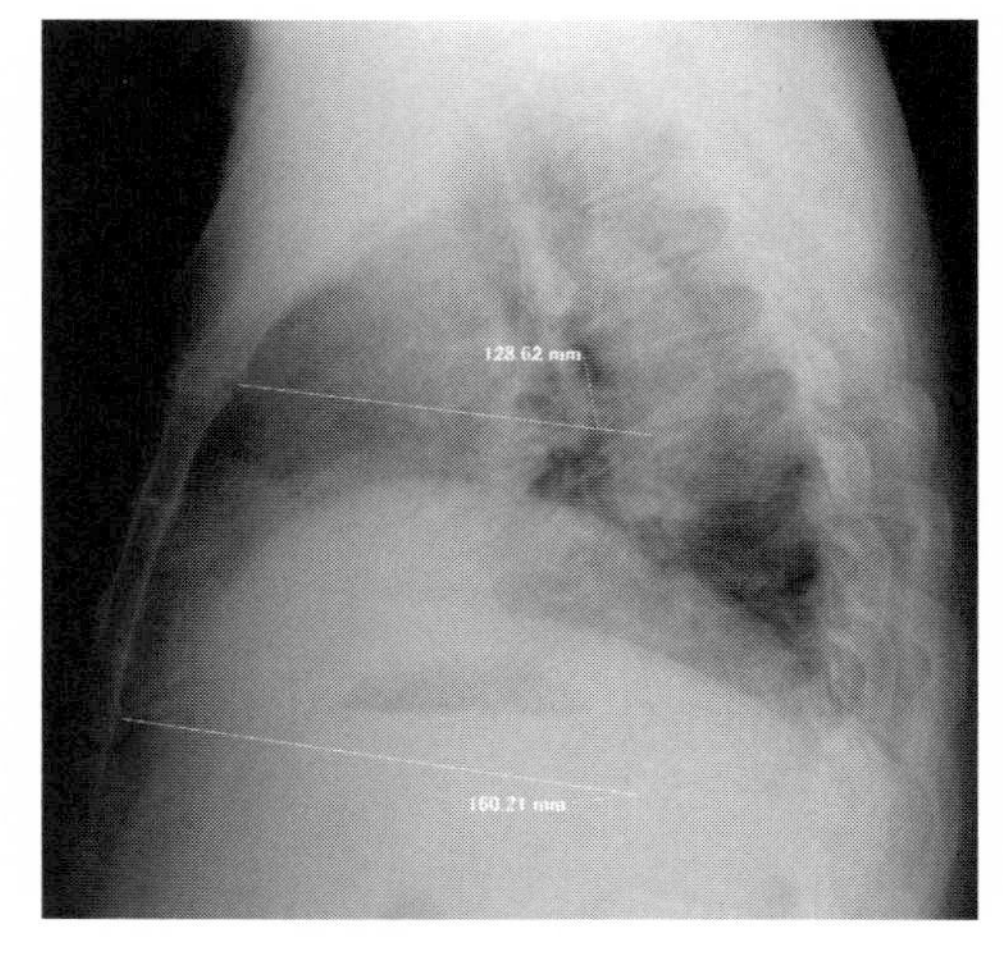

「含胸抜背」時（沈剛）

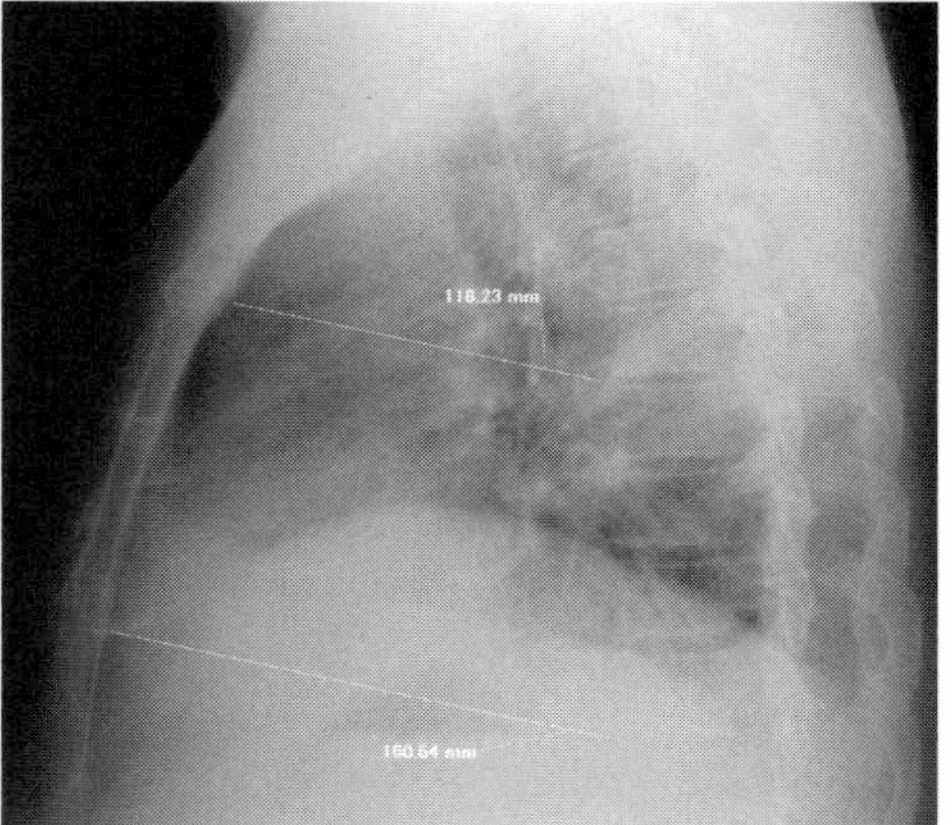

［山本氏コメント］今回、自分が被験者となって撮影したものは、平常呼気時と最大呼気時における胸骨上部・下部での胸郭最短前後径（胸椎と胸骨の距離）の比較となります。つま

り呼吸による胸郭の一般的な動きであり、平常呼気時→最大呼気時で

胸骨上部 8.2cm → 7.5cm ／胸骨下部 11.6cm → 10.4cm

との結果が得られました。平常呼気時と最大呼気時における胸郭の前後の動きが胸骨上部で0.7cm、胸骨下部で1.2cmと、胸骨上部・下部ともに同様に動き、特に下部でより大きく動いていた、という事になります。これに対して、沈師父の場合は、

胸骨上部 12.8cm → 11.8cm ／胸骨下部 **16.0cm → 16.1cm**

と、胸骨下部レベルではほとんど胸郭が動いていないにもかかわらず、胸骨上部レベルにおいてのみ、1cm沈下するという奇異な動きが観察されました。これは、師父が日頃教室で語っている「胸骨と胸椎の間が狭くなる感じ」という表現とある程度符合していると言えるでしょう。

第八章　応用四則

太極拳の攻防技法には、発・拿・打・化の四つがあります。上級者は全身のいずれの部位においても、発・拿・打・化ができます。

㈠発勁…「発」は出て行くことを意味します。相手を不安定にさせておいて、相手の攻めを止めることも「発」です。攻めている状態、攻められている状態、いずれの状態においても発勁が可能です。発勁はビリヤードに似ています。キュー（球を撞く棒）で撞くときは、ボールの位置と、ボールの角度を計算しなければなりません。撞く位置はボールの上部・下部・中央、それとも左右いずれか、また、どのくらいの力で撞くのかを決め、速くも遅くもなく、身体の重さを乗せるのに丁度良いタイミングを把握すべきです。

㈡拿勁…相手の攻撃を遮るのが拿勁です。相手の腕の動きを止め、攻撃が集中するのを避けます。また、関節を取り、相手の動きを牽制し、さらには相手の体の重いところを滞らせて、相手のバランスを崩します。拿勁は、力を込めて握ったり、曲げたりするものではなく、十三勁の「粘」と「黏」を使っています。太極拳の拿は、外家拳の「擒拿法」とは違っています。外家拳の擒拿法というものは、関節を捌いて極め、経絡の部分を捻り、経穴を攻撃し、相手は苦痛に耐えられず屈服します。太極拳は、相手の勁に対し、より高度な勁で拿を行なうというアプローチを取るので、その動きはごく僅かなものとなります。「拿」によって相手の腕の関節の自由を奪い、相手の腰と骨盤を拿することで相手が自由に進退できなくなります。また、相手の下腿や足首を「拿」することで、全身がコントロール不能状態となります。

㈢打勁…相手への打撃であり、その目的は、攻撃を当てる、または倒すことによって、相手を制圧し、反撃不能にすることにあります。打勁には、「勢」を制するものと「意」を制するものがあります。「勢」を制す打法は、相手を外面的な攻撃で制するものです。拳や掌だけではなく、肩、肘、骨盤、膝、どこでも打勁ができます。「意」を制す打法は、相手の意念（意図）を刺激するものです。たとえば、上半身に触れているのに勁を下半身に届かせたり、最初は腕が重いと感じさせておいて徐々に軽くなるとか、その逆で、軽いと感じさせて重くします。また、兵法三十六計にある「声東撃西」のように、相手の左側への攻撃が重いと思わせておいて実際は軽くしておいたり、逆に右側が重いと思わせて軽くしたりして、捉えどころを無くします。

(四)化勁(かけい)…化は相手の攻めを吸収して無くすことです。柔らかく吸収していくことが多いです。いわゆる「以柔克剛」、すなわち、在るようで無いような、実のようで虚のような、完全に適切な動きで相手に従っている状態が、「化」の理想形です。化勁は、まったく抵抗しない、ということではありません。大きな力を小さくし、さらに、小さな力を徐々に無くしていくことで、相手の絶え間ない攻撃を制します。相手の抵抗が感じられたら、その抵抗を吸収すべきです。相手の「化」の、虚である所を感じれば、相手の隙を埋めます。さらに相手も虚で吸収しようとすれば、その「化」を内勁で埋めていきます。一瞬にして向かってきた勢いは、一瞬にして虚によって吸収することが必要です。これが「開」です。相手が、吸収されたことによって力が無くなった途端に、一瞬にして返せば、「合」です。

太极拳应用方法有四：发、拿、打、化。用之于周身，无处不可发，无处不可拿，无处不可打，亦无处不可化也。

(一)发劲：发即是发出之谓，或使其跌仆以制止对方进攻，无论主动被动，均可以劲发之。发劲之应用犹如打弹子，持杆者要计算台球之位置和角度，而後决定用高杆或低杆或平杆，或左或右以及用力之大小，既不能快亦不能慢，要恰到好处时发之。

㈡拿劲：拿即截止对方进攻，拿住对方手臂，避开对方之重点，或拿住对方关节，以牵制对方活动，或拿对方重心，使其失中。然此法并非用力抓拿，而是用粘与黏拿之。太极拳拿法与外家擒拿手法不同。擒拿手法系抓关节，拿经络，制穴道，使对方不堪痛楚而就范。太极拳则以劲拿劲，拿对方关节，使其屈伸不得自由；拿对方腰胯，使其进退失据；拿对方重心，使其失中而全身无法控制。

㈢打劲：打即是打击对方，或打出，或打倒，目的在于制敌致胜，使其无反击能力。打劲有打势与打意之分。打势是打对方攻势，一拳一掌可以打人，肩，肘，胯，膝也可以打人。打意是刺激对方精神，或指上打下，使对方感觉本在上部而劲已打到下部，或先重而后轻，或先轻而后重，或声东而击西，左重则左虚，右重则右虚，使对方难以捉摸。

㈣化劲：化即是化解对方进攻。以柔化之为主。所谓以柔克刚，有若无，实若虚，因其所适，顺而成之谓之化。并非不抵抗，而是大化小，小化无之意，以期制止对方赓续前进，此即实则泄之，虚则补之，迎而夺之，承变而击之也。

コラム

馬岳梁語録⑧「極柔軟、然後能極堅剛」

先代は著書「呉鑑泉氏的太極拳」でこのように述べています。

> 練太極拳時最忌用力，務使全身鬆開，氣血貫注，日久自然練成內勁，這種內勁是很柔的，遇敵時不含抵抗性，能隨敵勁以為伸縮，所謂柔中而有彈性。太極論講：「極柔軟然後能極堅剛」，便是指此而言的。

これは元々、宋遠橋（そうえんきょう）十七世である宋書銘（そうしょめい）の教えであり、太極の最も基本的な説明です。それほど難しい話ではないので、ほぼそのまま訳してみます。

太極拳を練習するときに最も避けるべきなのは、力むことです。全身を緩めれば、滞っていた血流が改善し、年数をかければ自然と内勁がついてきます。

この内勁は本質的には柔らかく、相手と手を合わせても抵抗してぶつからず、敵がぶつけてくる力についていくことができます。柔らかさの中に弾性がある状態です。これは太極拳の理論でいうところの「柔（軟）を極めれば、その後に（堅）剛を極められる」ということです。

ここでは、「柔能く剛を制す」といった成句とは少し異なる、もっと単純なことを説いていますが、「柔らかい動きを追求するだけで、実際にどうやって戦うのか？」という問いに対するひとつの回答がこれです。およそ世の中のすべての古典的なもの同様、理屈としては簡単なことですが、実際に成し遂げるのはかなり難しいことです。

この柔の極みに達していれば、化勁と発勁を同時に発することができ、相手が勢いよく攻撃すればするほど、相手はしなやかに弾かれてしまいます。

第九章　十三勢解説

十三勢とは、五行八卦の理論に対応した太極拳独特の概念であり。推手においては、十三種類の内面の「勁」と、外面の「勢」があります。。

五行は、内・外の二種類の解釈があります。外面では、正しく適切な進み方・退き方・左右の回転の動き・それぞれの動き全てにおける中定であり、内面においては、粘（ツァン）・連（リェン）・黏（ニェン）・随（ズェイ）・不丢頂（プーティウティン）です。

八卦も、内・外の二つに分けて説明できます。外面では、四正四隅、すなわち自分自身の現在位置を基本として、そこから前後左右および斜め四十五度、全部で八つの方角が、身体に正確に染み込んでいることが必要です。内面においては、掤（ペェン）・捋（リー）・擠（ヂー）・按（アン）・採（ツァイ）・挒（リー）・肘（ツウ）・靠（カウ）の内勁です。

太極の外面、すなわち「勢」においては、前進・後退・左顧・右盼・中定と四正四隅を正確に行ない、内面、すなわち「勁」においては、粘・連・黏・随・不丢頂と、掤・捋・擠・按・採・挒・肘・靠が伴います。

十三势者，按五行八卦之数，言推手有十三种劲与势也。

五行可分为内外两解。行于外者为前进，后退，左顾，右盼，中定；蕴于内者为粘，连，黏，随，不丢顶。

八卦亦分内外两解。行于外者为四正，四隅；蕴于；内者为掤，捋，挤，按，采，列，肘，靠。

行于外者为势，即前进，後退，左顾，右盼，中定与四正，四隅。蕴于内者为劲，即粘，连，黏，随，不丢顶与掤，捋，挤，按，采，列，肘，靠。

第十章　五行要義

㈠粘（ねん）…二つの物が接触しているだけで、一つがもう一つを連動させることです。本能的に殴ったり摑んだりといった単純な動きとは異なる、粘のような種類の動きを、太極拳では「勁」と呼びます。この勁は、直接的な粘着力や引っ掛け、摑みなどではなく、体と体の間接的な力学関係により相手の体を浮かせるもので、「勁」と「意」の二通りの使い方があります。

例えば、推手や格闘の時に相手が実力者で体も大きければ、当然のようにパワーもあり、足腰も重いはずです。通常の技ではこのような巨体を浮かしたり、動かすことは困難です。こういう時に粘勁を使えば、たとえ巨漢であっても自ら重心を失います。さらに高度な粘勁であれば、「意」で探りをかけて相手の意識を浮かせてしまいます。「意」による探りでは、体の外的な動きはほとんどないため、相手が気づかないうちに気持ちが浮き足立ってしまい、自然に上半身が重く、足が軽く感じられ、まともに立っていられなくなります。その時に相手の体にかかっている自分の体を不丢頂（ふちゅうちょう）で従わせれば（いわゆる「捨己従人（しゃきじゅうじん）」です）、相手は自身の反応によって、自ら浮いてしまいます。全身の筋肉を使わずに、骨だけで動くことから来る似鬆非鬆(じしょうひしょう)、その動きから来る不即不離により、相手を誘惑し浮かせることが「粘勁」です。バスケットボール選手が、地面に静止しているボールを手で軽くはたくようにしてドリブルへ持っていく技術はこの「粘勁」に少し似ています。粘は、全身の関節が自由になり、均等に、同時に骨格による力の伝達ができる「走」から来ます。太極拳における関節の自由度が上がれば、粘も自然とできるようになります。これが太極拳論に述べられている「粘即是走、走即是粘」です。

(二)連(れん)…対自身、対相手、いずれにおいても虚実によって首尾一貫していることです。途切れることなく、離れることなく、全身の動きで相手に繋がり続け、外面においても内面においても止まることがないのが連勁です。この勁は受動的であり、その意味するところは、相手との接触し続ける中で相手の進退に従い、けっしてこちらの動きを止めないことです。

(三)黏(ねん)…くっつく、ねばりつくことで、相手の動きが変えられてしまうことです。自身の方向を変えることで、相手の方向性も変えられてしまいます。動きが無い中で、僅かに方向変換すると、ねばりつく動きによって相手は螺旋状に動かされてしまいます。相手が進めばこちらは退き、相手が退けば、こちらは進みます。さらに上級の、意のレベルにおいては、相手が浮けば、こちらは「開」による吸収、相手が重心を沈ませようとすれば、こちらは「合」による放出をします。相手の感覚からすると、自分の方向を変えられないので、離れられず、抜け出すこともできず、くっついたまま振り解くこともできません。積極的に攻めようとしても、方向が転換されてしまい、前進しようとすれば包囲されてしまうし、後ろに退こうとする動きも妨害されてしまいます。自身はただ、不丢不頂、不即不離、機があればそれに乗じ、なければただ待つのみです。黏は、不利な状況を有利に転ずる勁である、とも言えます。

㈣随…つき従うことです。相手の緩急にも、進退にもすべて従います。先んずることも遅れることもなく、自身の骨格の虚実が程良い状態で相手に従うことができれば、随になります。かつての太極拳経に述べられていた「因敵変化示神奇、須在随字下功夫（敵の変化に応じられれば、神秘的な技になる。そうなるには、随を修行してください）」です。相手の一番得意な態勢を劣勢に追い込む、一見不利な状態から有利に転じる方法と言えます。

㈤不丢頂…中国語で丢は離れることです。頂は相手に力づくことで抵抗することです。不丢頂は元々、太極四病説の頂（ティン）、匾（ピェン）、丢（ティウ）、抗（カン）を前提とした言葉です。頂と匾は相手と接している部分が相手にとって重かったり軽かったりすることです。丢は離れること、抗は相手にぶつかることです。不丢頂は、無意識のレベルにおいては、身体が離れず、抵抗しないこと、意念のレベルにおいては、気持ちが先走らず、遅れないことです。それぞれ金・木・火・水に対応しており、これらを調和することができれば、土はおのずとついてきます。つまり、不丢頂は五行の源であり、「軽霊」、すなわち太極勁のすべての根本です。双方が攻防しているときは、脳を空っぽにして、内勁を意図的に動かそうとせず、呼吸を乱さずにいられれば、脳が相手の気配を感じた瞬間に、意は気に沿って相手の気配に到達します。こうなれば、進退の変化、攻防、粘連黏随のいずれにおいても全身が常に備えているので、どんな状態にも対応できます。

㈠粘劲：粘者，如两物互交，粘之使起，太极拳中谓之劲。此劲非直接粘起，实间接而生，含有劲意相兼两义。如对方实力强大，体质坚实，气力充沛，椿步稳固，似难使其掀动或移其重心，然用粘劲即可使其自动失中。其法系以意探之，使其气腾，全神上注，则其上重而下轻，其根自断。此系对方之反动力所致，我只是顺其反应以不丢顶之劲引其悬空。其劲似松非松，不即不离，主动吸引对方，是为粘劲。粘劲如掌之与球，一抚一提之间，运用纯熟则球不离手，球随手转，粘之即起，所谓粘即是走，走即是粘之谓也。

㈡连劲：连者，贯也。不中断、不脱离，继续连绵，无停无止，无休无息，是为连劲。此劲属被动，其意即在接触之中始终跟进跟退，不自停息。

㈢黏劲：黏者，黏贴之意。彼进我退，彼退我进：彼浮我升，彼沉我松，使对方感觉丢之不开，投之不脱，如黏如贴，难解难分。在我是不丢不顶，不即不离，有机则乘，无机则俟。其进也引而困之，其退也截而击之，于被动中争取主动。

㈣随劲：随者，从也。缓急相随，进退相依，不先不後，舍己从人是谓随。拳经曰：「因敌变化示神奇，须在随字下功夫」。要在对方得意处使其失败，此即被动中取胜之道。

㈤不丢顶：丢者，开也；顶者，抵也。不脱离，不抵抗，不抢先，不落后。五行之源，轻灵为本，是为不丢不顶劲。双方互作攻守时，心要平，气要静。心之所使，意之所达，气之所行，进退变化，攻击防守，粘连黏随，体无不备，用之不赅。

第十一章　八法之力学原理

物体が時とともに空間的位置を変えることを運動と言います。運動の原理は力です。ゆえに、近代科学では運動を研究する学問分野の総称を力学と言います。

古代ギリシャの哲学者・数学者・物理学者であるアルキメデス（287–212 BCE）はかつて、「私に支点を与えよ。そうすれば地球を動かしてみせよう」と語りました。アルキメデスはテコの原理や浮力の原理の発見者です。彼は、テコの原理を活かせば、世の中のいかなる巨大な物体でも動かせると確信していました。

太極拳の「四両撥千斤」は、テコの原理同様、小さな力を大きく作用させられるという原理です。武術は体幹と四肢を使いますが、手や足で人に攻める以上、これは力学的運動の一種となります。運動であれば必ず支点と力点（と作用点）があるはずです。支点が移動されれば、力点からの作用も変わります。太極拳で敵に応じる場合は、相手の攻めを避け、支点をずらせば、相手は自ら重心を失なってしまいます。あるいは、相手の力を誘導してしまえば、その力が使えなくなってしまいます（引進落空）。さらに、相手の攻めの力を利用して、その方向を転換することもできます（折畳勁）。これらの様々な太極勁の使い方は、すべて力学に基いています。

推手において用いられる八つの太極勁、掤（ペェン）、捋（リー）、擠（ヂー）、按（アン）、採（ツァイ）、挒（リー）、肘（ツウ）、靠（カウ）を詳しく説明していきます。

掤（ペェン）…水が舟を浮かす様に例えられます。人体で一番緩みにくいのが丹田です。この丹田に気が通れば、徐々に丹田周りの気が豊かになります。次に、頸椎が真っ直ぐに伸びることによって、脊椎全体が自然に伸びることが必要です。この状態で練習を続ければ、全身がバネの効いた状態になり、（全身の関節による吸収と放出である）開合が自然に出来上がり、どれほど重い体重の人間であっても、その重心を浮かすことが可能です。

捋（リー）…相手が動く前に誘導をかけ、相手の力に従うことです。全身の不丟頂から来る軽霊（虚実が分明であること）が必須です。相手の力を完全に吸収すれば、相手の力が尽きて、それ以上攻めることができなくなります。こうなれば、攻めるも崩すも自由自在です。捋を使うときは、体を前後左右にぶれさせないことが肝心です。ぶれが少ない状態を維持できれば、相手もそれに乗じることができなくなります。

擠（ヂー）…二つのレベルがあります。中級者レベルでは僅かな物理的衝突をきっかけとした、間接的な神経反射によるものです。これは小銭を鼓に投げること、あるいは柔らかなボールを壁にぶつけることに例えられます。鼓に小銭がぶつかると、鼓の皮が一瞬、僅かに凹んで衝撃を受け返します。壁とボールの場合は、ボールの方が凹んで衝撃を受け、跳ね返ります。人間も同じことです。一瞬の速い攻撃を受けた瞬間に体の柔らかさでそれを瞬時に受け、相手の僅かな重心の崩れを捉えて一瞬のうちに反撃します。上級者レベルになると「意」を使うようになります。原理は神経反射的な擠と同じですが、相手と急速にぶつかった際に、全身の骨格による吸収と放出、二つの動作をほぼ同時に、一瞬にして行うことが「意」による擠です。上級者の擠における二つの動作の間の時間は、計測できないほどの速さであり、体の動きも外からはほとんど見えません。

按（アン）…水の流れのように用いる勁です。水の柔らかさの中には強さがあり、激流ともなれば止めるのは至難です。津波や高潮のように膨大な水塊は高いところにあるものも呑み込みます。また、ほんの少しでも窪みがあれば自然とそちらに流れ、わずかな隙間でも染み込むように入っていきます。上級者の按勁は隙を予測して相手の隙が出来たところでもう既にこちらの内勁が流れ込んでいる状態になります。太極拳論の打手要言で述べられている「彼不動已不動。彼微動已先動（相手が動かなければ自分も動かず、相手が微かに動けば自分は先に動く）」です。

採（ツァイ）…明勁、暗勁両方の使い方があります。採は天秤ばかりのようなものです。どんなものでも、天秤ばかりに載せれば重いか軽いかが分かります。明採は上採とも呼ばれ、自分の腕が相手の腕より上にある状態で、意図的に相手の力をコントロールしながらその軽重をはかり、斜め上に誘導します。暗採は、相手の腕を下から斜め上に浮かして持ち上げるような形で、相手の動きの中に潜んではかります。採勁は、相手の力を分散するものです。明採であれば、相手の力の出所を全身すべての箇所で分散してはかり、相手をコントロールして、違う方向に崩します。暗採の場合は、相手の力は、全身のより小さな部分による分散によってはかり、相手の足（相手の力の出所から遠い場所）に返します。このようなはかり方ができれば、梃子の原理で、「四両」で「千斤」を動かすことが可能になります。王宗岳太極拳論で述べられている「仰之則彌高、俯之則彌深、進之則愈長、退之則愈速（自分の体が上方に向けば相手の高いところ、沈めば深いところに届く。進み入るときは、相手の身体から遠いところで効くように入り、退けば、相手の反応よりも速く相手を捉えることができる）」を良く体現しているのが採勁です。

挒（リー）…重く、大きな円盤状のものが回転するさま、フライホイール（弾み車）の動きに例えられます。回転するフライホイールに、上から物を放れば弾き飛ばされます。また、水が渦を巻くさまにも例えられます。落ち葉がひとたび渦にかかったら、中心に吸い込まれるように沈んで消え失せるでしょう。高度な挒勁は、相手の力の出所を自分の内面で作った回転に巻き込んでいきます。これを実現するには、自分の体すべてを、虚実によって分散することが求められます。

肘（ツウ）…五行の勁、すなわち粘・黏・連・随・不頂丟のいずれの勁とも併用できます。主に肘、または拳による寸勁の形をとります。陰陽の使い方、上盤と下盤の使い方があります。全身の虚実の度合いは、はっきりと統一されるべきです。爛採花における連環勢の動きは無敵です。開花捶はさらに兇猛です。その他、裡黏肘や快架の搬攔捶なども肘勁と関連しています。掤・捋・擠・按・採・挒の六つの勁が使える者にとって、肘勁の使い方は無限大と言えます。

靠（カウ）…主に肩あるいは背中で行なう体当たりのような勁ですが、動作は固定されたものではありません。たとえば、斜飛勢は肩を用いますが、背中で使うこともあります。ひとたび相手の部分的な虚実の弱点（双重）を見つければ、轟然と、竪杵で大臼を搗く如く発勁します。ただし、自分の重心はしっかりと維持します。これを失なっては何にもなりません。なお、靠は必ず相手の双重に向かって行くとは限りません。双重ではないところから入っても、そこから双重の起きている箇所に染み込むように一瞬で到達するのが高度な靠です。

凡物变换位置，谓之运动。运动之原因则由于力，故论运动之原因者曰力学。古代希腊哲学家。数学家。博物学家阿基米得（ARCHIMEDES, 287–212 B.C.）说：「如能使我于太空中得一立足之支点，则我能使庞大之地球移动」。阿基米得是杠杆与浮力原理之发现者，深信利用杠杆。加下力于其上，而能起大力之作用，无论体质与重量如何巨大之物体，亦能使之移动。

太极拳四两拨千斤原理与力学杠杆原理不谋而和，同是一小力起大力作用。技击所凭藉者，一身与四肢耳。以手击人或以脚踢人，无论为手为脚必须进行一种运动，此种运动必有一支点和力点。支点被移，用力点之作用即可改变之。故太极拳之应敌，不接触对方之重点，而系移动其支点，使其自己失中，或引导对方之力量，使其落空：或籍对方之攻势，使其作方向之转移。凡此种种，皆力学也。

推手八法之挪，捋，挤，采，列，肘，靠之原理解说如下：

掤劲义何解。如水负行舟。先实丹田气。次要顶头悬。全体弹簧力。开合一定间。任有千斤重。漂浮亦不难。

捋劲义何解。引导使之前。顺其来时力。轻灵不丢顶。力尽自然空。丢击任自然。重心自维持。莫被他人乘。

挤劲义何解。用时有两方。直接单纯意。迎合一动中。间接反应力。如球撞壁还。又如钱投鼓。跃然声铿锵。

按劲义何解。运用似水行。柔中寓刚强。急流势难当。遇高则澎满。逢洼向下潜。波浪有起伏。有孔无不人。

采劲义何解。如权之引衡。任你力巨细。权后知轻重。转移只四两。千斤方可平。若问理何在。斡捍之作用。

挒劲义何解。旋转若飞轮。投物於其上。脱然掷丈寻。君不见漩涡。卷浪若螺纹。落叶堕其上。倏尔便沉沦。

肘劲义何解。方法有五行。阴阳分上下。虚实须辨清。连环势莫挡。开花捶更凶。六劲融通后。运用始无穷。

靠劲义何解。其法分肩背。斜飞势用肩。肩中还有背。一旦得机势。轰然如捣碓。仔细维重心。失中徒无功。

第十二章　順勢借力（じゅんせいしゃくりき）

太極拳は、力を使わず、力を借ります。「借りる」とは、相手の生理的な「反射（意識される事なく起きてしまう反応）」を引き出し、その力を使うことです。力を借りることは、水泳のようなものです。泳ぎの心得のある者は、水は浮力や圧力、阻止力によって、浮かしたり、波のようにうねったり、激流のようにぶつかったり、渦に巻き込んだりといった動きがあることを体で理解しています。

推手の法則はこの「水泳」と良く似ています。いかなる場合でも相手を水に見立て、常に自分が相手（水）に浮いているようにします。相手の力強さを水の膨張、浮き沈み、大波のように繰り返す衝撃と捉え、自らはその中で立ち泳ぎをしながら、相手の衝撃を分散し、自分自身の重心を維持します。

足が着くか着かないかくらいの深さの川を歩いて渡る時は、水の流れを読みながら、ある時は流れに逆らい、またある時は流れに従って、向こう岸に辿り着くことができます。川向かいの、自分よりも上流にある街にも、また下流にある街にも、川の中を歩いたり、泳いだりしながら数十里（訳注：近現代の中国里換算で20～30km）を、頭に載せた荷物も濡らすことなく楽々移動する者は、この、水の浮力を借りる方法に長けているのです。

推手の原理もまた斯くの如しであり、達人は「順勢借力」して、相手を自在にコントロールします。下手な人は力に頼るものの、結局は何もかも相手にコントロールされ、動けば動くほど体の動きを停滞させられてしまい、最終的には進退窮まり、自身の命運すら危うくなります。

推手の「借力」は舟を進めることに似ています。舟を進めるには「櫓（ろ）」やスクリューが必要で、これらの原理はすべて同じです。船のスクリューは飛行機のプロペラとも同様の原理であり、どちらも他の力を借りることで力を発揮します。

太極拳を学ぶ者は、水の抵抗力や空気の圧力の概念を良く理解することで、「道」、すなわち懂勁（とうけい）に近づきます。中国語には、これらの概念にもとづいた四字熟語が沢山あります。

借風駛帆…風の方向を確認して帆を張る

順水推舟…川の流れに従って船を押す

順之則浮…水に従えば、浮くことができる

逆之則沉…水に逆らえば、沈んでしまう

船が激流に遭った際、船頭が水の力の原理を把握していれば、水棹（みさお）を巧みに操って危機を脱することができますが、原理から外れた操作をすれば、舟はたちまち沈んでしまうでしょう。

太极拳不尚用力而尚借力，即借用对方之反应力也。借用之理犹如泅水，谙水性者知水有浮力，压力与阻力：有向上作用，浪潮作用，急流动力与旋转动力等。推手法则亦与泅水相似，在任何攻击下，处处皆以对方为水，而保持自己浮于水面为目的。对方之牡从如水之膨胀，一浮一沉，冲击回泄，应以踩水之法维持自己重心。横过河必须逆上而顺下，始能到达彼岸。尝见沿河赴市者，上行徒步而去，下行徒步而返，一泅数十里，不用力，不用气，物置于顶而不湿，借水浮力而为己用也。

推手道理亦复如此，高手能顺势借力，周旋自如：低手则枉用力气，处处受制，且愈动愈沉，非但不能前进，甚至有灭顶之虞。推手之借力亦如行舟，应知行舟之际，无论以桨以撸以螺旋桨，其理皆一，飞机螺旋桨与轮船螺旋桨情形相似，借他力为己用也。习太极拳者，能知水之阻力与空气压力，庶几近道矣。所谓借风驶帆，顺水推舟，顺之则浮，逆之则沉，设遇险滩急流，如知撑擎支持，一槁之力可以转危为安，槁之不顺，殆矣。

第十三章　纏絲勁要旨

纏糸とは、糸が互いにまとい合う様子です。推手で説明すると、相手の勢いや抵抗と真正面からぶつからずに、互いに聴勁を活かし、問勁を用い、拿勁・化勁によって相手との接触点よりもなるべく遠い所から力の吸収を行ない、相手の動きを先読みして主導権を取り合う、内勁による一種の高度な包囲戦術です。

纏糸勁には裡纏・外纏・上纏・下纏・進纏・退纏の六つの勁路があります。初心者は腕だけ、中級者になると脚から腕への勁路を使えるようになりますが、上級者は腰椎と胯から腕に伝えることができるようになります。こうなると、全身の関係性が連綿と繋がった状態で断点の無い纏糸勁を使えるようになり、その様はあたかも継ぎ目の無い環を繋ぎ合わせた連環のようであり、その動きは糸の纏い合いのようであります。

纏糸勁を使うということは、前後・左右・上下・進退の方向を伴なう円を描くことです。後に挙げたものほど円の半径が大きくなり、用いるのがより難しくなります。纏糸勁の中には粘・黏・連・随・不丟頂による変化が含まれ、また、掤・捋・擠・按・採・挒・肘・靠の八法との併用も可能です。

纏糸勁を身体で理解して使える人間は感覚が非常に鋭敏で、聴勁も正確であり、相手の出入りに素直に従うことが出来、内勁の運用が自在であり、相手の動きを先々まで読めているので、主体的な動きを易々と取ることができます。纏糸勁が理解できてない人間は、攻防において直線的な出入りしかできず、横の動きも円の滑らかさを欠き、動きに角があったり、また逆に動きの隙間が所々に感じられます。外見にあらわれる動きも凸凹しており、簡単に相手に制されてしまいます。

纏糸勁を使うということは、無理やり相手にべったりとまとわりつくことでは無く、ただただ、全身の骨格の柔軟さと円滑さによる動き、相手が変化する中で発・拿・打・化勁を発揮します。動作の順逆・呼吸・骨格による収放・経絡における呑吐（どんと）に特に注意しましょう。

順…相手の動きに従います。

逆…相手の動きに逆らうという意味ですが、力でぶつけるのではなく、誘導して、変えます。

呼…身体を膨らませます。息を吐くと腹は膨らみます。

吸…身体を凹ませます。息を吸うと腹は凹みます。

収…骨格で相手のパワーを吸い取り、回収します。

放…吸い取った相手のパワーを溜めて、出ていきます。いつでも出せることが大事ですが、相手にとって一番弱いポイントで出せるようにするのが肝要です。

呑…経絡レベルにおける「収」です。相手が身を投げ込んで来るのを、網を張るようにして待ちます。

吐…相手が来たのを「呑」で吸い込んだら、慌てて逃げようとするのを自由にさせます。相手の動きに対して、落ち着いてその変化を観察します。

以上、四種類の対をなす動作は、力によるものではなく、人体の自由な動きから来る「意」によるものです。「意」(心、は近代的な表現を補っている)が主体で、「気力」(身体能力)はその補佐をします。まさに、太極拳経に述べられている「若問體用何為准？　意氣君位骨肉臣(身体を動かす基準は何であろうか。意と気が主であり、身体機能が従である)。」です。


缠丝者，犹丝之互缠。用之于推手，即彼此互相听劲，互相问劲，互相拿劲，互相化劲，互相争取主动，互相进行包围运动战术也。

缠丝劲有里缠，外缠，上缠，下缠，进缠，退缠等六法。用之于臂，用之于腿，更用之于腰胯，以至周身连绵运用，如环之无端，连环用之如丝之缠也。

缠之为用即是圈转之法，有前後，左右，上下，进退等方向。包含粘，连，黏，随，不丢顶之变通，以及掤，捋，挤，按，采，列，肘，靠八法中之劲。

懂缠丝劲者感觉敏锐，听劲准确，能随屈就伸，运用自如，易争取主动，不懂者出手多是直出直入，横进横退而欠圆活，且多稜角，多缺陷或多凹凸之处，易受制于人。

运用缠丝劲并非死缠不放或相互纠缠不清，而纯系柔软圆活之运用。在情势变化之中，运用发，拿，打，化之时，尤须注意顺逆，呼吸，收放，吞吐：

顺：从动为顺，是因敌所适之意。

逆：背驰为逆，是逆转对方动作。

呼：膨气为呼，是膨腹而应之意。

吸：收气为吸，是收腹而引之意。

收：取之于敌，是顺势而取之意。

放：适可而发，是准备放射之意。

吞：待敌自投，是设网而伺之意。

吐：擒而复纵，不厌诈以观其变。

以上四种相对动作，主要在于精神而非气力，是以心意为主，以气力为辅，正如拳经曰：

「若问体用何为准？意气君位骨肉臣」也。

第十四章　生克制化論

推手では、双方の関係性は相生相克（陰陽五行説において、それぞれの「行」が互いを生み出し、互いに打ち勝つという考え方）であり、互いに制し合い、互いに躱し合います。生・克・制・化を身体で理解できれば、勝つのは簡単でしょう。

㈠生…私を（相手が）助ける、という意味です。相手をコントロールしようとせず、相手が自由に動けるようにさせます。相手を「生かし」、好き勝手に攻めてくる状態にして、自分は物理的な力を借り、内勁的な力に従うことに徹します。

㈡克…相手の逆を行ない、克する、という意味です。相手が柔なら私は剛、相手が剛なら私は柔で対応することが望ましいです。この場合の「剛」とは、物理的に正しい、合理的な力による「剛」です。無理して身体の「剛」を作れば健康を損ねますし、太極とは言えません。また、「生」がなければ「克」することもできません。

㈢制…自身をコントロールすることです。自分自身が欲望と恐怖の気配にとらわれるのを抑制することです。自分が落ち着けば、「制」することができます。敵が「以逸待労（「兵法三十六計」

の第四計。自分よりも相手が大きく動かねばならないように仕向け、相手の消耗を待つ戦術)」に陥いるのを静かに待ちます。真心で接する人は、邪心を持つ人に勝ります。不偏の心は、偏りのある心に勝ります。このような生き方によって、太極拳的な動きや内勁のずれを無くし、「中正(不偏の心)」を得るべきです。円は四角に勝ります。円く生きるべきです。やたらと角を立てるようなやり方は、必ず行き詰まります。

(四)化…私の動きに従わせることです。虚実の状態が良い者、すなわち、より広く、身体の全てを使った虚実ができる者は、そうでない者を「化」することができます。虚実で相手の攻めを包囲(「合」)すれば、相手の攻めはあとかたもなく消え失せるでしょう。

推手运动中，双方互相对待，全是相生相克，互制互化。如能掌握生，克，制，化，则稳胜卷。兹分述如下：

(一)生：助我为生。助我以力或助我以势，则我有力可借，要势可承。

(二)克：背我者为克。柔极克刚，刚克克柔，遇刚则以柔克之，遇柔则以刚克之。

(三)制：约我为制。静能制动，是以出静以待以逸待劳。正能制邪，中能制偏，是以在势在劲，必须得其中正。园能制方，是以必须圆活，切忌方滞。
㈣化：顺我为化。势大化小，势小化无。合而解之，消于无形。

コラム

馬岳梁語録⑨「我们练我们的」

ここでは、馬岳梁師公が、他の流派とどのように付き合っていたか、という思い出を書きたいと思います。

一九八〇年代後半、鑑泉社では毎月第一日曜日に、決まって上海市内にいくつかある大きな公園のいずれかで表演会を開催していました。当時は今以上に様々な流派の人間が公園で武術を練習しており、わざわざ互いに声をかけあうこともありませんが、中にはかたい握手を交わし、表演会を中断してまで長々と社交辞令を交わしている人達もいました。たいした実力が無い人間ほど、プライド高く挨拶だ礼儀だとうるさく言いたがるのはどこの世界でも同じですね。

師公は当時、すべての中国武術に通じる第一人者との呼び声が高く、実際、九〇歳近くの高齢にもかかわらず、かなり強い外家拳（がいかけん）の遣い手が挑んできたのを簡単に退けたこともあり、名実ともにトップの存在でした。そのような「有名人」が、自分たちが練習している公園に表演会の名を借りて宣伝しに来た、となれば、個人で運営しているような小さな道場の人間は心中穏やかならざるものがあったでしょう。「馬岳梁最強伝説」はこうして作られていった側面もあったかもしれません。

では、こうした小さな団体ではなく、他の太極門（我々は、太極拳の六大流派とされる流派の掌門に連なる、家伝のものを修行しているごくわずかな人間を、互いにこのように呼んでいます）の人間はどうであったでしょうか。表演会の開催中に、弟子から「今日は太極門の誰々が来てますよ」と耳打ちされることもしばしばあったのですが、馬岳梁の答えはいつも決まって、「他们练他们的，我们练我们的（彼らは彼らの練習をすれば良い、我々は我々の練習をしよう）」というものでした。太極拳教室の基本は、師公の言葉の通りだと思います。我々は自身の練習をすれば良いですね。

ちなみに、件の太極門の先生を素気なく無視するのも気が引けたのか、私が師公から名代として指名され、しばらくの間、推手で交流いたしました。先方は面子を立ててもらったことを大層喜んだのか、はたまた月初には大勢の学生たちが月謝を持ってくるので、持ち合わせが多かったせいか、私にびっくりするくらい多額のお小遣いを渡してくれたのは良い思い出ですね。

第十五章　授受関係

昔（訳注：ここでは「太極拳論」の時代、すなわち王宗岳の生きた、清・乾隆年間が念頭におかれています）の太極門では、教える者と学ぶ者の関係をこのように捉えていました。
太極拳を学ぶ者の性格の異なりによって、習得できる太極勁の状態も微妙に違ってきます。例え、同じ師匠に師事しても、太極拳理論に対する理解度や盤架の風格、推手における技の表われもそれぞれ違います。ゆえに、教える者は人を見て教え、学ぶ者も自分自身の長所を最大限に生かして学ぶべきです。

人間の性格は、だいたい剛と柔に分かれます。剛の者はせっかちで激しい性格です。剛の上の者は強健な逞しさがありますが、剛の下の者には粗暴さしかありません。柔の者は温厚かつ従順な性格です。柔の上の者は心身とも調和されて、常に敬いの気持ちをもって人に接することができます。柔の下の者は意志が弱く、向上する努力をしません。

剛の上の者は争いに勝つことを好み、人の下につく事を良しとせず、武術においても剛強な技を能く学びます。剛の下の者は暴力的で向こう見ずであり、凶暴な技を好んで学びます。柔の上の者は平和を好み、柔を活かした技を好んで学びます。柔の下の者は意志が弱く、大体の形を知るだけで満足して深い理解を求めようとしません。太極拳は剛と柔を兼ねて練習すべきです。鍛錬にあたっては、剛強さを遮二無二追い求めたり、柔らかさを誤解して弱々しくなってはいけません。このようにして一人の人間の徳を深めていくのが、人間修業としての太極拳です。

柔の上の者が太極拳を学べば、上達は容易でしょう。剛の下の者は、太極拳の「慢」の考え方と、力を使わない練習法（「不用力」）を「だらけている」と誤解しやすいです。実は、「慢」と「不要力」は太極拳功夫を錬えるための要です。太極の訓練は、鋼を煉る過程に例えられています。銑鉄が精錬されて錬鉄となり、さらには鋼鉄が精製されるように、長期間の鍛錬無しには、優れた功夫には辿り着けないのです。

ゆえに、太極拳は「慢」が先決条件であり、次に、「力」を使わず「意」を使う、すなわち、筋肉を使わないで骨を動かすことが大切です。力を使えば動きが鈍重になり、内気を無理して動かせば必ず詰まってしまいます。気持ちを落ち着かせ、力を抜き、すべては自然に任せるべきです。太極拳論で述べられている「以静制動、以柔克剛」「有若無、虚若実」「逆来順受、無中生有」「不丟不頂」はすべて、「慢」と「不用力」の結果です。

「慢」であるがゆえに静かになります。静かであるがゆえに自身を抑制することができます。これが「定」です。「定」によって、心の状態と太極勁、共に「不偏」を得られます。これは言い換えれば、心身の中定です。心身の中定ができれば精神が安らかになり、真の意味での落ち着きを得られ、精神の集中によって全身の気の動きが一つになります。

動作が速いと心身ともに粗くなり、呼吸も乱れます。その結果、自身を抑制できず、身体の動きはばらばらになり、全身の骨による「実」と、それを繫ぐ「虚」の調和は望むべくもないでしょう。

练习太极拳，每因学者性情之不同，而功夫造诣各异，虽同一师乘，而对拳理之领悟，盘架之姿势及应用之法则各有不同，所以教者应因人而教，学者更应自知个性之优劫点而学之。

性情大约可分刚柔两类。刚者急而烈，刚之上者为强，刚之下者为暴。柔者温而顺，柔之上者心气中和而笃敬，柔之下者则意志簿弱无进取心。

刚之上者喜争强斗胜，不屈人下，学习多务于刚，刚之下者暴燥而鲁莽，学者多务于猛。

柔之上者性喜和平，学者多务于柔，柔之下者心意不坚，不求甚解。太极拳讲刚柔相济，必须锻炼到刚不过，柔不弱，如此乃能进德修业。

柔之上者学习太极拳，容易增长功夫，性情刚之下者每每误解慢与不用力为懒散儒弱之意。其实慢与不用力正是锻炼功夫之要旨，犹如炼钢，由生铁而熟铁，由熟铁而成精钢，非长期火候不为功。

所以必须由慢而成及不尚气力而尚用意者，因用力则笨，用气则滞，是以沉气松劲，纯任自然。以静制动，以柔克刚；有若无、虚若实；逆来顺受，无中生有；不丢不顶全由慢与不用力锻炼而得之。

慢所以能静，静所以能守，守之谓定，此即心气之中定也。心气中定而后神安，神安而后气沉，气沉而后精神团聚，一气贯通。

快则心粗，心粗则气浮，气浮则心无所守，散乱之病生，虚实更无由求。

コラム

馬岳梁語録⑩「慢慢来」

私が馬岳梁師公と毎日のように推手練習をしたのは実質六年ほどでした。門下の中には十年以上、師匠と推手練習をしていた者もおりますが、私の六年の内の四年は先代の家族のみで密かに行なう練習でした。そこで学んだことは、創始者鑑泉が最上級の太極勁路を手に入れるためにどのような心構えと努力が必要であったか、ということであり、この点については他の誰よりも深く理解していると自負しております。

推手練習の際、最初のうちは、わけがわからないうちに先代に浮かされて飛ばされていましたが、やがて先代が若い私達に「喂勁」をし始めることによって、我々も受けた抵抗を出来る限り自身の体の全てで分散することの必要性が徐々に理解出来るようになりました。しかし、それでも我々は先代に対して焦る気持ちが絶えませんでした。先生は何故、このように強いのでしょうか。先生の強さに至るまではどの位の時間がかかるのでしょうか……と。先生の言葉はいつも決まっていました。

「慢慢来」。日本語に訳すと、「ゆっくり参りましょう」といったところでしょうか。若い頃の私は色々と考えすぎて、師匠は私が自身の孫ではないからあまり真面目に教えてくれないのではないか、などと、かなり思い悩んだ時期もありましたが、とある日に、私は師匠が師匠の孫にも同じく「慢慢来」と言っているのを聞きました。今日の私ならば、なぜ師匠が同じことを言い続けていたのか、ほぼ完全に理解できます。

結果を焦り、「どう使うのか」「どう攻撃するのか」といったことばかり考えるのは、却って進歩を妨げます。擠勁は太鼓を叩いた時の返りのようなものである、という喩えを真に受けて、太鼓の練習を始めた者がいた、という笑い話を聞いたことがあります。結果のみを急いで追い求めるということは、結局、現状の浅い理解だけで物事を判断するということです。人間の体で「以慢打快」や「四両撥千斤」を体現するのに時間がかかるのは当たり前です。太極を武術として使えるようになるのは、他のどの武術よりも難しいです。徐々に感覚を習得するしかありません。「慢慢来」は、馬岳梁が我々に残してくれた最上級の財産です。

呉式太極拳の歴史

呉式太極拳は、「太極拳」という大きな伝統の流れの中にある流派です。成立が比較的新しいこともあり、開祖が楊露禅に学んでいた（ただし、拝師は一代下の楊班侯）こともはっきりしており、その来歴についても「すべてを楊家に譲る」ことを旨としています。

開祖呉鑑泉までの主要な伝承としては、【図1】のようになります。

これは、いわゆる「門の内」の見解であり、学術的な是非を問うようなものではないのですが、それぞれの生没年を子細に見てみるといくつか不思議な箇所があります。

太極拳六大流派と呼ばれる、現在主流とされている陳・楊・呉・武・孫・趙堡に限っても、各流派において伝承されている見解の細部が歴史学による検証と相違するのは無理からぬところでしょう。しかし、「太極拳」という言葉は、諸流派の見解が整理・客観化されないまま、あまりにも安易に使われることが多く、不毛な論争のもととなっている印象を受けます。

本稿では、極力検証可能な資料にもとづき、これまであまり明示されてこなかった、ひとつ

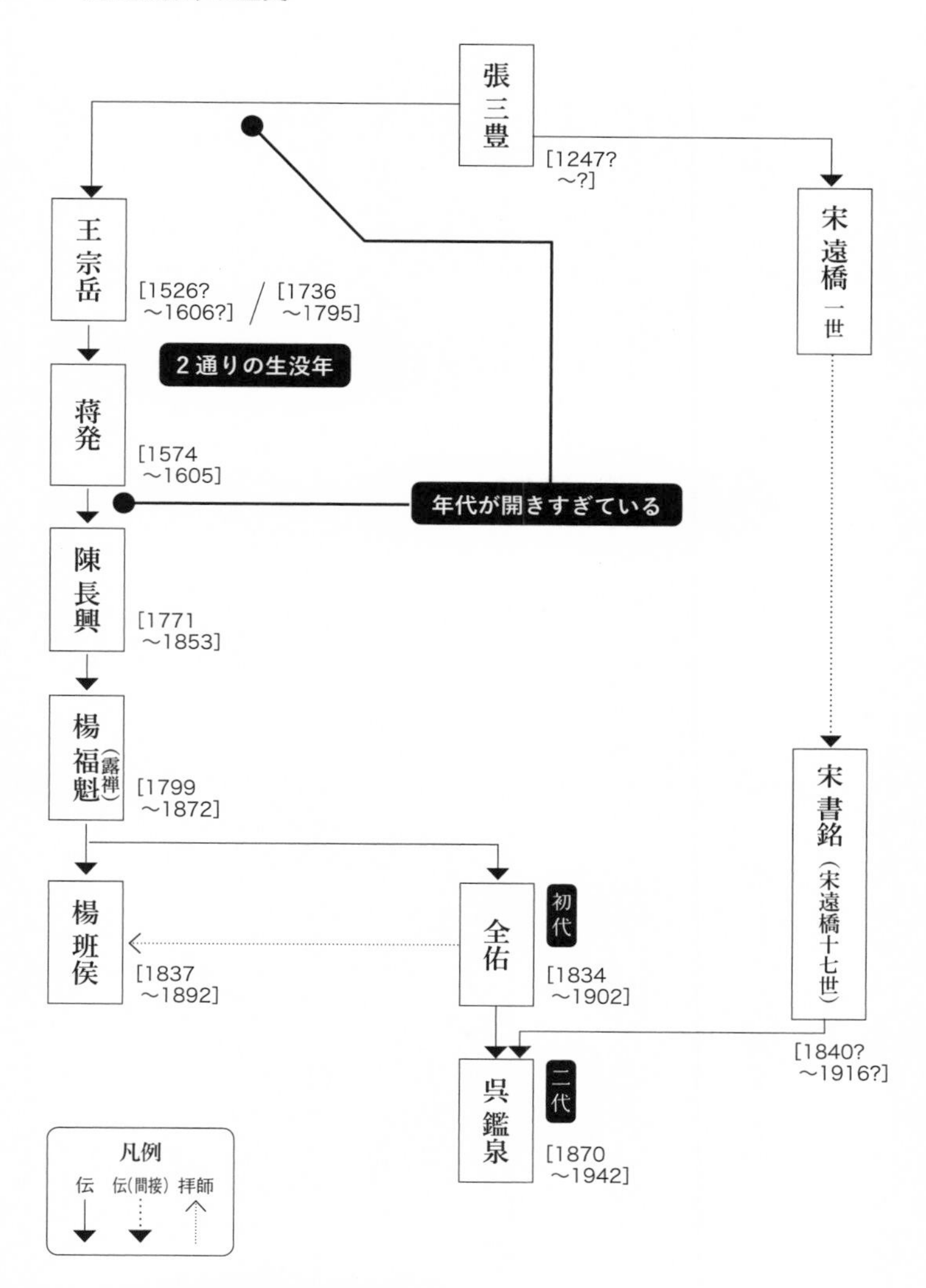

図1◉呉式太極拳開祖に至るまでの伝承

ながりの「呉式太極拳の歴史」に纏めてみたいと思います。

道教／道家について

太極拳は「道家の行功」である、というのが「太極拳講義」における定義です。

一方、太極拳に限らず、一般に陰陽五行理論に関係した事物を説明する際に、「これらは「道教」由来である」という表現がしばしば見受けられます。日本語で「〇〇教」という言葉からは、教団を持ち、教祖を祀り、信仰を同じくする集団による「宗教」がイメージされますが、中国で古来から使われる「道教」という言葉は、それよりもやや広い意味合いを持ちます。一例を挙げれば、梁の文学理論家である劉勰（465?–532?）は、「滅惑論」の中で、「……その品に三あり。上は老子を標げ、次は神仙を述べ、下は張陵を襲う（醮事章符）……」。と記しています。「醮事章符」とは、端的に言えば祭祀や呪術の類いを指します。また、元の馬端臨（1245–?）の「文献通考」「経籍考」によれば、道家の術は「雑にして多端」であり、「清浄（清浄無為の思想）」「煉養（内丹修養）」「服食（仙薬服用）」「符籙（符による呪術）」「経典科教（経典に基づく儀礼）」

の五種類が挙げられており、日本語における「宗教」のもつイメージよりも遥かに広く雑多な事象が「道教」には含まれています。太極拳は、この「雑にして多端」の中に含まれるもの、と捉えるべきでしょう。

「太極拳講義」では、「道」「道家」という言葉はあっても、「道教」という言葉は使われていません。現代人であった馬岳梁は、「道教」という単語が、近代における狭義の「宗教」と解釈されてしまうことに慎重であったのかもしれません。

今日の研究では、「道教」は、単に思想哲学・宗教といった抽象的なものに収斂しない、もっと豊穣なものであるという理解が大分進んでいるようですが、ここでは原著に倣って、なるべく「道教」という言葉を使わず、「道家」あるいは単に「道」と表記します。

道家の時代

太極拳の歴史は南宋・元・明代を生きたとされる張三豊（ちょうさんぽう）（「張三丰」とも表記）に始まります。張三豊は道士として神仙思想を修めていた人物だと思われます。

道家の祖は老子（571?–471? BCE）とされ、さらにその先を辿れば、古代中国神である伏義（ふっき）が、天地の理である八卦を定めた、というところに辿り着きます。老子から張三豊に至る系譜を子細に論じる向きもあるようですが、いずれの人物も伝説の域にあり、また、太極拳の主要な古典文献においてそもそも言及されることが極めて稀であるので、ここでは割愛します。太極拳には、前述のような道家の行功として練り上げられていく過程があり、それらがいくつかのルートで「民間」に流出し伝承されていった、というのが実際であろうと推測されます。

以降は、太極拳の歴史において、主要となる人物を中心に、年代順に追っていきます。

張三豊、王宗岳から蒋発へ

●張三豊（1247–?）
南宋・元・明を生きた人物とされます。本「太極拳講義」の「概論」に述べられているように、「明史・方伎伝」によれば、さまざまな修行を経て仙人となったのち、洪武十七（1384）年に百三十七歳で明の洪武帝（朱元璋）の勅令で都に招聘されるも辞退、また、「張三豊外伝」

によれば、永楽十四（1416）年に百六十九歳で永楽帝（朱棣）に招聘されるがこれも辞退、とのことですが、いずれも伝説の域を出ないエピソードでしょう。

張三豊が、単に著名な道士であることにとどまらず、太極拳の歴史においてそれなりの客観性をもって重要視される理由として、黄宗羲による「王征南墓志銘」の存在が挙げられます。王征南は内家拳の他に弓術もこなした明軍の武官で、明末の1617年に生まれ、清初の1669年に亡くなった人物です。明朝が滅亡すると主君を替えて清朝に仕えることを嫌い、田舎で隠遁生活を送ったといわれています。この潔い生き様に共感した黄宗羲が書き記したものが「王征南墓志銘」です。

黄宗羲（1610–1695）は、明末・清初の大学者として知られた科学的・民主的な啓蒙思想家であり、近代になって「中国のルソー」と呼ばれるようになった人物で、彼の著作の正確性・客観性には一定の信頼が置かれています。この「王征南墓志銘」においては、張三豊は内家拳の創始者として記されています（原文では「張三豊（丰）」が「張三「峰」」となっていますが、「丰」は「峰」の音符であり、また、陝西省の宝鶏山中に隠居にしていた折に、そこの山の三つの峰が繋がっていたことから、一時期「三峰居士」を名乗っていたことに由来するともいわれています）。内家拳が今日の太極拳であるかどうかについては、具体的な動作や要訣の記述が遺されていないことから否定的に論じる向きもあれば、黄宗羲の息子である黄百家が著した「内家拳法」の技法などと比較することでその類似を見出す研究もありますが、重視すべきは、刀剣や槍、弓といった武器による戦闘が勝敗の決定要因であった明代において、すでに少林拳の一般的なイメージである、荒々しい攻撃を主とするスタイルへのアンチテーゼとして、「静をもって動を制する」内家拳、というものがすでに存置されていた、という事実です。

●王宗岳（おうそうがく）（1526?–1606?）

王宗岳は明の万暦年間（1573–1620）の武人です。この生没年が正しいとすれば、彼が張三豊の直接の弟子であった可能性はほぼ有り得ませんが、彼の著作の一部とされる「乾隆抄本」は張三豊の遺した拳術についての歌訣であり、「以上系武当山張三豊祖師遺論，欲天下豪傑延年益寿，不徒作技藝之末也（上記は武当山張三豊祖師が遺した拳術理論であり、天下の豪傑が（この拳法の練習を通して）寿命が伸びるように、そして（この拳法が）単なる（格闘の）技芸として扱われて終わることのないように願っております）。」という付記があることから、彼が、道家のものである「張三豊の拳術」を何らかの形で受け継いでいたことは間違いないと思われます。武式太極拳を創始した武禹襄の甥である李亦畬は、「太极拳小序」（1867年初稿版。以降の版ではこの記述が削除されているものもある）において、「太極拳始自宋張三豊，其精微巧妙，王宗岳論詳且尽矣。后伝至河南陳家溝陳姓，神而明者，代不数人（太極拳は宋の時代の張三豊から始まり、その繊細さと巧妙さは、すでに王宗岳により詳細な論述が尽くされている。後に河南省陳家溝の陳一族に伝授され、（その一族の中で技術が）神の境界に達した者かつ（理論に）明瞭な者は、一代に数人がいるかいないか程度である）。」と記しており、「太極拳」の命名者である武家において、張三豊から王宗岳への伝承は自明であった、と言えます。

なお、王宗岳は乾隆年間（1736–1795）の人物である、という説が唐豪や顧留馨らによって主張されていましたが、仮にこれが正しいとすると、王宗岳が後述の蔣発（しょうはつ）（1574–1605）を弟子にすることは不可能であり、となると蔣発が陳家溝に伝えたものは王宗岳のものとは無関係、ということになります。また、太極拳の六大流派が原典と仰ぐ「（王宗岳）太極拳論」も、陳王廷（1600年頃–1680年頃）より後に成立した、ということになり、あまりにも多くの矛盾を抱えることになります。

王宗岳の拳譜（今日においてその一部が「乾隆抄本」として伝えられているもの）は、十六世紀当時の封建的な社会体制や、体術・武器術が軍事において極めて重要であったことからも、秘中の秘であり、拳術そのものも簡単に教えられるものではありませんでした。

この拳譜を王宗岳より直接受け継いだのは蒋発唯一人とされています。蒋発の努力がなければ、王宗岳の拳技はほとんどが失伝してしまったでしょう。

●蒋発（1574–1605）

蒋発は明の四十二（1574）年、趙堡鎮の小留村に生まれました。幼少より蒋発は武を好み、外家拳を習っていました。1596年、蒋発が二十二歳の時に王宗岳が趙堡鎮に偶然立ち寄った際、練拳の様子から彼の適性を見抜き、山西省陽城県の小王庄に連れ帰りました。蒋発は七年間の修行を経て、太極内功と拳術理論だけでなく、文才、太極哲学、武徳を育み、二十九歳（1603年）にして、真伝人の資格を得て帰郷しました。王宗岳には一人娘と、もう一人の弟子がいましたが、二人とも伝を得ることはできなかったようです。このことが念頭にあったせいか、王宗岳は蒋発に「この術をみだりに教えてはいけないが、決して失伝させてはならない。人をよく見て教え、広めるように」と言い含めました。蒋発は師の教えに従い、自分の得た拳術を継ぐ人間を探し、1605年には邢喜懐（けいきかい）を弟子として受け入れました。その後も趙堡太極拳として代々、受け継がれていています。

●陳家溝における伝承

陳式太極拳発祥の地である中国河南省の陳家溝村においては、自らの拳術の祖を陳氏九世である陳王廷（1600年頃-1680年頃）としています。明末崇幀五（1632）年、陳王廷は「郷兵守備」に任ぜられ、李際遇の登封の叛乱に際して武功を立て、さらに山東において清朝のために盗賊、匪賊を平定したことから清朝に重用されました。

陳家溝村と趙堡村は距離にして数km程の近さであり、時代・場所いずれにおいても、陳王廷と蒋発に接点があったであろうことは容易に想像できます。その関係性については諸説あり、李際遇率いる叛乱軍の側にいた蒋発が捕えられたのち陳王廷に拳術を教えた、という説もありますが、当時齢七十になろうとしていた蒋発が弓馬と長兵器が支配する戦場に出陣した、というストーリーは若干説得力を欠きます。

蒋発と陳王廷の交わりについては、以下については異論の無いところでしょう。

●陳氏の祖堂（祖先を祀る祠）には、陳王廷の背後に大刀を持って立つ蒋発が描かれた肖像画がある

●蒋発は晩年期、短期間ではあるが陳王廷に自らの拳術を教えたが、身分の違いもあり、弟子入りの形は取っていない

●逆に、蒋発が陳王廷に学んだ、という説もあるが、蒋発は陳王廷よりも十四歳年上であり、封建社会であった当時の常識からして蒋発が陳王廷の弟子となることは有り得ない

二人の出会いは、戦場で相見え、捕えられて主従の関係となった、といったドラマティックなものではなく、叛乱軍である李際遇側の武将であった蒋発が、李際遇を投降させるべく派遣された陳王廷と知り合い、武術を教えることになった、という程度であったようです。また、陳家溝にも家伝の武術が確立していたこともあり、ここでの伝承は部分的なものに留まるものだったようです。

このように、最初期の伝承こそ断片的であったものの、陳敬柏（趙堡四世／陳氏十二世）の代でも交流が進み、陳継夏（陳氏十二世）、陳秉旺（陳氏十三世）、そして陳長興（陳氏十四世）

へと、王宗岳のものが徐々に陳家溝に伝承されていきました。

楊露禅と武禹襄

楊露禅（1799–1872）は直隷省廣平府（現在の河北省南部、邯鄲市北部にある永年区）に生まれ、若い頃から武術に長けていましたが、家が貧しかったので西關大街の漢方薬屋「太和堂」に住み込みの料理人として働いていました（太和堂の家伝では、楊露禅は泥炭などを売る出入りの業者であったと記述されており、こちらの方が史実に近いと思われます）。この店の経営者は陳家溝の出身である陳徳瑚で、同郷である従業員はみな陳家溝の武術を修行していました。露禅はとても利発であったことから、店に視察に訪れた徳瑚に非常に気に入られ、徳瑚は彼を陳家溝に連れ帰ります。陳徳瑚の家は広大で、陳長興の弟子たちは露禅が住まいをあてがわれていた庭で練習していました。これが縁となり、露禅は当時の掌門人であった陳長興（1771–1853）に直接学ぶことができました。十年後、陳徳瑚に実子が生まれたのを機に、露禅は永年に帰郷し、拳術を教え始めます。その後推挙されて、北京にて清朝皇族御用達の商人であった張家で武術を教えたことから次第に人脈が広がり、後に朝廷の武術教師となります。

ここまで、ほとんど「太極拳」という言葉が登場しませんが、陳家溝の拳術として楊露禅が受け継ぎ教えていたものにはまだ明確な呼称は無く、当時は「綿拳」などと呼ばれていました。「綿拳」が「太極拳」と自称し、成立する過程では、武禹襄が大きく関わっています。

武禹襄（1812–1880）は楊露禅と同郷であり、永年県広府鎮の四大名家の一つの家系で、武を好む文化人でした。次兄である武汝清（1803–1887）と陳徳瑚は同学であり、その子陳備三の養父となるほど親密な関係でした。陳徳瑚親子と武汝清が取り持つ縁で、武禹襄は永年に戻った楊露禅に武術を教わります。「学のある」人物であった武禹襄は、露禅の次男楊班侯、三男楊健侯ら（長子は早逝）に学問を教えていました。武汝清は温県の知事を経て侍郎（大臣を補佐する要職）を務めた中央政府高官であり、皇族や要人との交流が多々ありました。彼の口添えを得て、楊露禅の拳術は北京で広まっていきます。

露禅が北京に赴いた後、武禹襄は長兄武澄清が舞陽県の塩店で入手した、王宗岳のものとされる武術の訣文を目にし、楊露禅の拳術のルーツとなる理論を発祥の地でより深めたい、と考えました。当時の趙堡村では、陳家溝より婿入りした陳青萍（1795–1868）が七代伝人でした。

武禹襄は一月あまりの教授により、ついに自らが学んだ拳術とその拳理を一致させます。武禹襄はその哲理の深さに霊感を得て、陰陽五行説における宇宙全体をあらわす「太極」の名をこの拳術に冠しました。「太極拳」の命名は、楊露禅と武禹襄の両名の存在によって為し得た、と言ってよいでしょう。

蔣発のいた時代の趙堡村では、「これを外に出してはならない」という絶対のルールがありましたが、時代が下るにつれ、次第に外部の人間を受け容れるようになっていきました。伝統の世界における秘密主義と、他流派には干渉しない独立独歩の気風によって、太極拳の伝承はきわめて把握しづらいものがありますが、ひとつの解釈として、現在、六大流派として存在している太極拳の各流派は、趙堡村の蔣発から広まっていった、と考えると理解しやすいでしょう。

以上、蔣発からの伝承のうち、趙堡村以外に伝わったものを整理すると、

①蔣発から陳王廷に伝わったもの
②陳敬柏（趙堡四世／陳氏十二世）から陳家溝に伝わったもの
③陳青萍（趙堡七世／陳氏十五世）から武禹襄に伝わったもの

となります。

全佑と呉鑑泉、鑑泉社の成立

楊露禅は清王朝の認める武術指導者として一躍有名となり、旗営（八旗兵営。皇帝近衛兵の駐屯地）の武術教官も務めていました。この時期の高名な弟子として挙げられるのが凌山・全佑・萬春の三名です。

全佑（1834–1902）は満洲族出身で、武術家の家系に生まれました。十代の頃、旗営の訓練士官となり、楊露禅の下で太極拳を学びます。楊露禅が旗営を離れ永年に戻ったことから、自身も北京の水磨胡同に武館を構え、露禅の老架（大架）と班侯の小架を融合した独自の太極拳架を多くの人に教え、名声を博しました。

全佑の子、呉鑑泉（1870–1942）は原名を愛紳といいましたが、辛亥革命以降の風潮に合わせ、満州族の姓である「烏佳哈拉」の一文字めの音を取って「呉」姓を名乗るようになりました。鑑泉は幼少の頃から武芸を好み、特に馬術においては抜群で、疾走する馬上で片手倒立をしたり、鐙の下に隠れて矢を射ることができ、射的の腕前も百発百中でした。もちろん、家伝の太極拳も父の指導の下、日々研鑽を積みました。

1914年、自身も高名な武術家であった許禹生は北京に「北平体育研究社」を設立し、有名な武術家を集め、諸流派による武術を「国術（国技）」として再定義し、近代体育教育の一環として普及に努めます。太極拳の指導者としては呉鑑泉を楊少侯、楊澄甫らとともに招聘しました。これを大きな契機として、太極拳は一般に公開され、伝統の壁を越え、急速に中国全土に広まりました。

この時期に、呉鑑泉は袁世凱の幕賓（食客）である宋書銘（1840?–1916?）という人物に出会います。彼は張三豊に学んだとされる道士宋遠橋の末裔（十七世）を自称し、その推手の腕前は素晴らしく、鑑泉は懇願して「三世七」と「武当十三勢」を授かります。時すでに二十世紀、中国も清から近代国家である中華民国へと移り変わりつつありましたが、宋書銘もまた封建的な考えを持つ道家の人間であり、伝授した内容を外部に漏らすことを固く禁じたため、鑑泉は自らが学んだ拳術にこれを密かに取り入れ、独自の風格を持つ太極拳を作り上げました。

1917年、鑑泉は上海政府と上海精武体育会、国術館、上海中華公記倶楽部の誘いを受けて南下し、精武体育会の講師となり、当時上海の一大娯楽スポットであり、ランドマーク的存在でもあった「大世界ビル」の最上階にあった中華公記倶楽部に住まいをあてがわれていました。ある日、鑑泉が屋上の庭園にある籐椅子に寝転がって涼んでいると、どこからか不審者が紛れ込んできたと勘違いした管理人に追い出されそうになりました。鑑泉は上海語が分からなかったため無視を決め込んでいたところ、管理人は鑑泉の腕を摑みましたが、鑑泉は太極勁を用いて簡単に捻じ伏せてしまいました。管理人はあわてて助けを求め、六人の警備員が駆け付けましたが、全員その場に打ち倒されてしまいました。当時の名士である虞洽卿がとりなしてようやくその場は収まりましたが、この事件の噂はたちまち上海中に広まりました。

このようなエピソードに事欠かなかった呉鑑泉はほどなく上海の有名人となり、指導を希望する人があまりに増えたため、1935年、多くの呉式太極拳愛好者の出資により、当時の中国で最も大きな建物のひとつであった青年会（YMCA）南館の最上階に、屋内百平米、屋外五十平米の練習場が設けられ、朝・昼・晩の三クラスが毎日開講されました。これが上海鑑泉太極拳社（鑑泉社）の始まりです。

鑑泉社の初代社長は呉鑑泉で、副社長は娘婿の馬岳梁と長女の呉英華でした。1942年に長男の呉公儀が後継となりますが、1948年に上海を離れ、香港に移住した後、馬岳梁が社長となります。

文化大革命を経て、1980年、鑑泉社は再開され、呉英華が社長、馬岳梁が副社長となります。1998年に馬岳梁の長男馬海龍が社長となり、2015年にその子馬文釗(しょう)が社長となりました。香港・マレーシア・シンガポール・フィリピン・カナダ・オランダ・ドイツ・アメリカ・そしてもちろん日本にも鑑泉社の太極拳は広まっています。

以上が、呉式太極拳が成立し、現在に至るまでの簡単な歴史となります（【図2】参照）。呉式太極拳に興味を持たれた方・学ぶ方の参考となれば幸いですが、武当には「祖を語って師を語らず」という言葉があります。我々呉式太極拳修行者も、いたずらに伝を誇ることをせず、その源流を思って日々の練習を積むべきではないかと考える次第です。

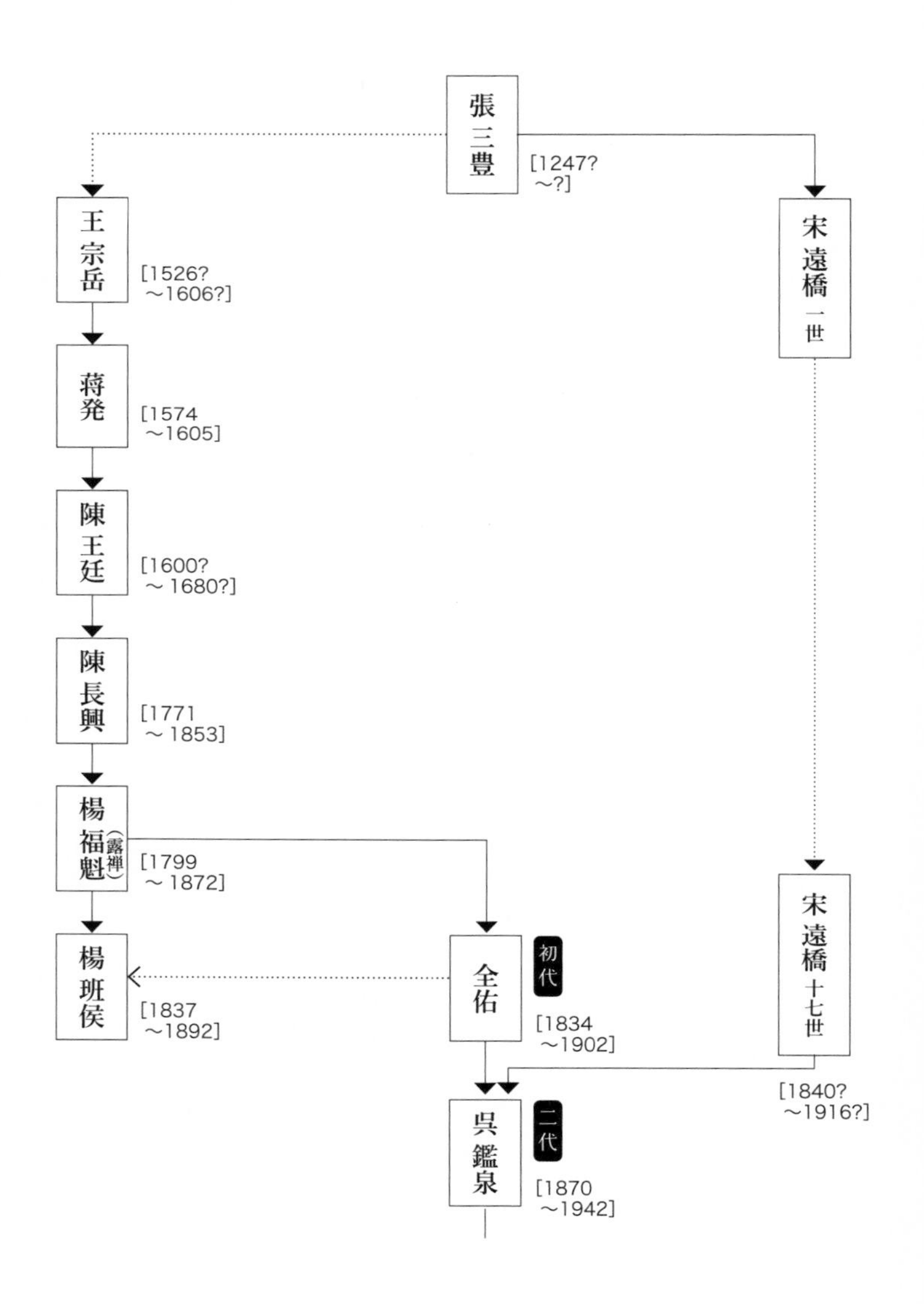

張三豊
[1247?
〜?]
王宗岳
[1526?
〜1606?]
蒋発
[1574
〜1605]
陳王廷
[1600?
〜1680?]
陳長興
[1771
〜1853]
楊福魁（露禅）
[1799
〜1872]
楊班侯
[1837
〜1892]
全佑
初代
[1834
〜1902]
呉鑑泉
二代
[1870
〜1942]
宋遠橋
一世
宋遠橋
十七世
[1840?
〜1916?]

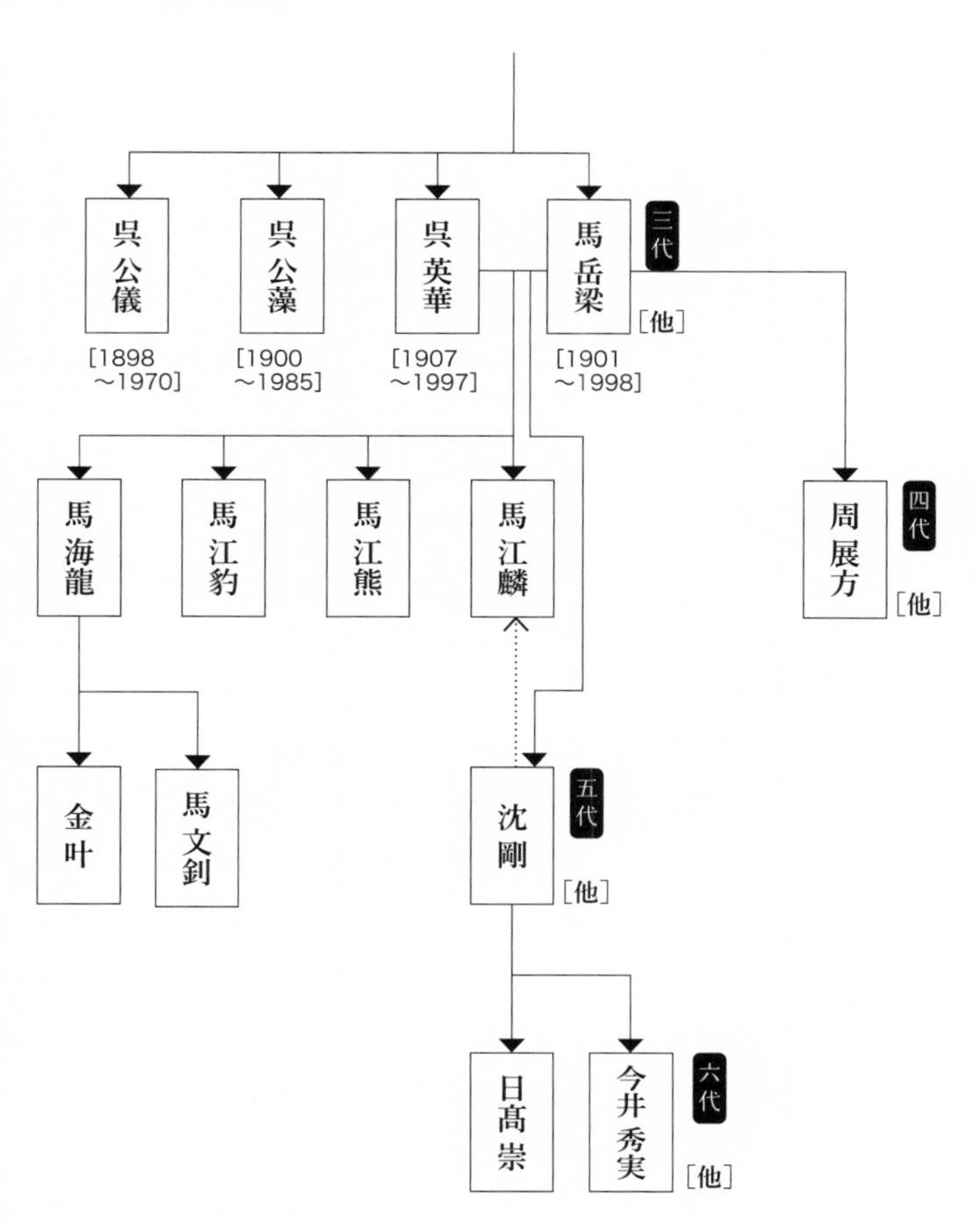
呉公儀
[1898
～1970]
呉公藻
[1900
～1985]
呉英華
[1907
～1997]
馬岳梁
[1901
～1998]
三代
[他]
馬海龍
馬江豹
馬江熊
馬江麟
周展方
四代
[他]
金叶
馬文釗
沈剛
五代
[他]
日高崇
今井秀実
六代
[他]

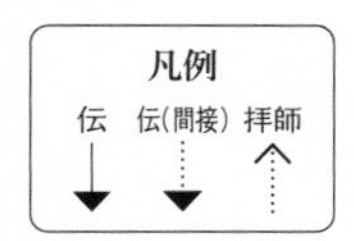
凡例
伝
伝(間接)
拝師

図 2 ◉呉式太極拳の伝承

【文献】

笠尾　恭二　2019.『中国武術史大観（増訂）』国書刊行会。

鑑泉太极拳社「关于我们」http://www.wustyletaichichuan.com/wustyletaichi/item_14901059_0.html（2021年3月1日）。

屈　国鋒　2008.「養生武術の形成過程に関する研究―民間武術から太極拳への変遷を中心に」筑波大学大学院人間総合科学研究科修士論文。

兴安书馆「明代山西王宗岳家族谱系被发现，证实赵堡太极为武当真传正宗太极拳」http://www.360doc.com/content/13/0225/12/8541720_267762566.shtml（2021年3月1日）。

陳　鑫　1933.「陈氏家乘」『陈氏太极拳图说』开封开明书局。

陳　鑫　1928.「辨拳论」和　有禄『和式太極拳：付録』pp. 271。

陳　微明　1925.『太極拳術』上海中華書局。

武当杂志「王宗岳拳谱的乾隆抄本辨真」http://www.wudang.biz/portal.php?mod=view&aid=1002（2021年3月1日）。

横手　裕　2015.『〈宗教の世界史6〉道教の歴史』山川出版社。

李　亦畬　1867.『太极拳小序』。
李　師融、李　永杰編著　2007.『古今太極拳譜及源流闡秘』逸文武術文化。

動画▶ 呉式太極拳慢架一〇八式

呉式太極拳において全ての基本であり、初学者であれ熟練の者であれ、学び始めたその日から生涯を通じて行なうべき套路です。本書で語られている内容のすべてがこの一〇八式慢架に含まれています。「慢架」は一つですが、学習者のレベルや年齢、体質によって、その動きの中に盛り込まれるべき内勁の難易度は様々に変わります。本書では特別に、普段の稽古で教授している、呉鑑泉晩年における集大成の型とされている風格の慢架を東西南北の四方向から収録し、初公開いたします。

呉式太極拳教室の紹介［日本国内］

●呉式太極拳研究会
東京・秋津／池袋／代々木公園
https://wutaichi.jp/
080 7059 4919

●北海道中国武術倶楽部内
北海道・江別市
http://www.hcwc.jp/
011 389 9800

●BUDO-STATION
東京・日暮里
https://budo-station.jp/
03 6806 6902

●順展会
指導◉呉式太極拳六代伝人 今井秀実
東京・恵比須／自由が丘
https://www.wujunten.com/
080 8889 2625
info@wujunten.com

著者略歴

沈 剛（ちん・ごう）

1963年、中国上海市生まれ。幼少より馬岳梁・呉英華両師から呉式太極拳を学ぶ。馬岳梁の驚異的な実戦力の根幹をなす太極勁、推手技法、気功、武器等の全伝を授かり、1989年に来日。2013年、「呉式太極拳研究会」を立ち上げ一般への教授を始める。2017年、掌門馬海龍より指名をうけ、研究会が海外第2の授権点となる。呉式太極拳嫡伝第五代伝人。

日高 崇（ひだか・たかし）

1972年、東京生まれ。40代半ばで呉式太極拳を学び始め、2015年に拝師、呉式太極拳第六代弟子となる。

監訳者・著者

沈 剛（ちん・ごう）

翻訳者・編集者

日髙 崇（ひだか・たかし）

【呉公藻・馬岳梁版】太極拳講義

2021（令和3）年 8月25日　第1版第1刷発行
2021（令和3）年10月05日　第1版第2刷発行

ISBN978-4-909658-60-9 C0076

発行所　株式会社文学通信

〒114-0001 東京都北区東十条1-18-1 東十条ビル1-101
電話 03-5939-9027　FAX03-5939-9094
メール　info@bungaku-report.com　ウェブ　https://bungaku-report.com/

発行人　岡田圭介
印刷・製本　モリモト印刷